D1063407

# DEMAIN MATIN MONTREAL M'ATTEND

*Les photos de l'intérieur sont de*
*RONALD LABELLE.*



**Dépôt légal — Bibliothèque Nationale du Québec**

**1er trimestre 1972.**

MICHEL TREMBLAY

# DEMAIN MATIN MONTREAL M'ATTEND

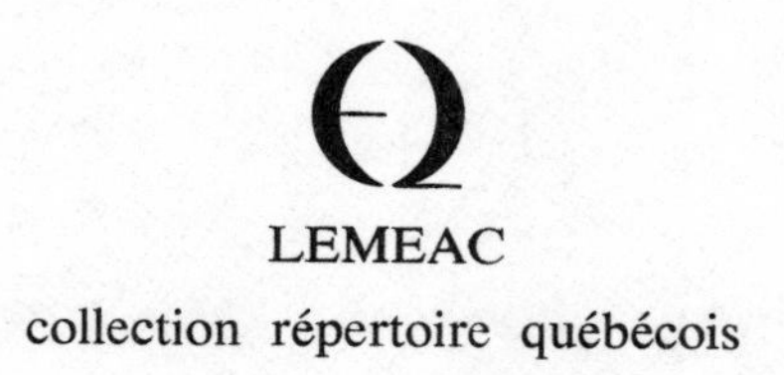

LEMEAC

collection répertoire québécois

Texte : MICHEL TREMBLAY

Musique : FRANÇOIS DOMPIERRE

Assisté de CELINE PREVOST

Mise en scène : ANDRE BRASSARD

Assisté de MICHEL-PIERRE BOUCHER

Chorégraphie : JOHN STANZEL

Costumes : FRANÇOIS BARBEAU

Assisté de FRANÇOIS LAPLANTE

Décor : CLAUDE FORTIN

Direction de scène : PAUL LECLERC

*La version complète de « Demain matin, Montréal m'attend » a été créée au Théâtre Maisonneuve de la Place des Arts de Montréal, le 16 mars 1972, par « Les Productions Paul Boissonneau Inc. ».*

## *DISTRIBUTION*

*Denyse Filiatrault :* Lola Lee
*Louise Forestier :* Louise Tétrault
*Denise Proulx :* Betty Bird – Le mère Tétrault
*Louisette Dussault :* Purple
*André Montmorency :* Marcel-Gérard
*Claude Gai :* La Duchesse de Langeais
*Jean-Pierre Bergeron :* Candy Baby
*Jean-Pierre Cartier :* Heston – Slim
*Suzelle Colette :* Habilleuse – Topaze
*Fredérique Collin :* Violet
*Robert Daviau :* Danseur – Marine
*Louise Deschatelets :* Danseuse – Sandy
*Odette Gagnon :* Butch
*Amulette Garneau :* Mimi Pinson
*Huguette Gervais :* Rosy
*Marc Grégoire :* Cuirette
*Armand Labelle :* Waiter – Danseur – Cow-boy
*Yvonne Laflamme :* Danseuse – Cream
*Véronique Le Flaguais :* Waitress – Danseuse – Scarlet
*Yolande Michot :* Waitress – Rainbow
*Normand Morin :* Waiter – Brigitte
*Marcelle Pallascio :* Danseuse – Avocado
*Jean-Claude Sawyer :* Danseur – Babalu
*Normand Séguin :* Mona Lisa
*Ghislain Tremblay :* Danseur – Hosana

N.B. — Les participants au « concours-amateurs » du premier tableau ne sont pas mentionnés ici.

Time? Ref to Mireyew — p. 20
p. 29 Ref to old fashioned printed shoes — dating 1960
+ To Brigitte — (Bardot)

# ACTE I

## Scène I

*Au milieu de la scène vide, un affreux trophée trône.*

*Louise et les choristes, habillés en « waiters » et en « waitress », entrent en scène lentement et se mettent à répéter toutes sortes de numéros de Music-hall (chant, danse, etc.). Lorsque les lumières de la salle s'éteignent, la grande « finale » du concours d'amateur commence : Louise chante à peu près bien « Le Brésil brille » ; deux duettistes massacrent « Marinella » ; un danseur à claquettes s'enfarge et tombe ; un chanteur de charme « Un certain sourire », fausse ; une petite chorale « exécute » sur un rythme sud-américain : « Impossible » ; un chanteur à voix la perd dans « Le chant du désert » ; une chanteuse western manque ses yoodles ; deux danseurs mondains s'engueulent en dansant ; une chanteuse d'opéra réussit les yoodles de la chanteuse western ; etc. etc.*

## Scène II

LA VOIX DU M.C. — Mesdames, mesdemoiselles, messieurs, le moment tant attendu est maintenant venu de dévoiler le nom du gagnant ou de la gagnante de notre trophée Lucille Dumont pour cette année . . . Durant toute la saison, vous avez vu défiler devant vous les talents les plus prometteurs de notre Belle Province dans le domaine du Music-Hall et de la Chanson... Après de longs conciliabules, ont-ils déclaré par la suite, les membres de notre distingué jury ont décidé de décerner cette année le prix à une talentueuse jeune chanteuse de Saint-Martin-au-Large... j'ai nommé mademoiselle LOUISE TETRAULT !

*(Projecteur sur Louise qui reste figée un moment, puis se met à hurler.)*

LOUISE — C'est moé ! C'est moé ! J'ai gagné ! J'ai gagné le trophée Lucille Dumont !

*(Elle s'élance sur le trophée.)*

LOUISE — Je le savais ! je le savais que j'étais aussi bonne que n'importe quelle chanteuse ! Avec c'te trophée-là, j'vas enfin pouvoir m'en aller à Montréal ! A Montréal !

*(Quelques choristes se sont approchés de Louise.)*

PREMIER GARÇON — Y paraît que tu t'en vas à Montréal, Louise ?

LOUISE — Oui...

DEUXIEME GARÇON — Pour longtemps !

LOUISE — Pour toujours !

DEUXIEME GARÇON — Que c'est que tu t'en vas faire là ? Le Saint-Martin Bar-B-Cue ouvre-tu une succursale à Montréal ?

LOUISE — J'm'en vas chanter !

LES CHORISTES — Quoi ?

LOUISE — Vous avez pas vu le gala, t'à l'heure, à la télévision ? j'ai gagné le trophée Lucille Dumont ! J'vous l'avais ben dit que j'étais bonne ! Pis demain, j'm'en vas à Montréal !

PREMIERE FILLE — A s'enfle pas la tête vite, d'abord...

DEUXIEME FILLE — J'suppose que tu vas devenir vedette tu-suite de même, en criant ciseau ?

LOUISE — Oui, ma sœur va m'aider . . .
PREMIER GARÇON — Ta sœur ? Ta sœur, a va te caler, Louise !
LOUISE — Ma sœur, est deboute sur un piédestal . . .
PREMIER GARÇON — Dans ta p'tite tête, oui . . .
LOUISE — . . . a l'a tout Montréal à ses pieds, pis a va m'aider à monter à côté d'elle !

Demain matin, Montréal m'attend
Demain matin, Montréal m'attend
Cherchez-moé pus à Saint-Martin
Parce que demain j'sacre mon camp
En ville ! En ville !

PREMIERE FILLE — Si tu penses que c'est facile de même . . .
PREMIER GARÇON — Le sais-tu c'que ta sœur a été obligée de faire pour arriver ousqu'est là ?
DEUXIEME FILLE — Ah ! pis laissez-la donc faire . . . Si a veut se casser la yeule, c'est de ses affaires !

*Chanson : « Demain matin, Montréal m'attend »*

LOUISE —

Demain matin, Montréal m'attend
Demain matin, Montréal m'attend
Cherchez-moé pus à Saint-Martin
Parce que demain j'sacre mon camp
En ville ! En ville !

LES CHORISTES —

Tu vas te promener en métro
Tu vas t'habiller au Château
Marcher su'a Plaza Saint-Hubert
Rue Sainte-Catherine, pis l'Oratoire !
Tu vas aller manger au Pam-Pam
Visiter l'église Notre-Dame !
Tu vas rencontrer des vedettes
Pus besoin du p'tit canal sept !

LOUISE ET LES CHORISTES —

Demain matin, Montréal m'attend
Demain matin, Montréal m'attend
Cherchez-moé pus à Saint-Martin
Parce que demain j'sacre mon camp
En ville ! En ville !

LES CHORISTES —

Tu vas être reçue chez le maire Drapeau
Tu vas passer au canal Dix
Tu vas te mettre à faire des disques
Les premières pages de Péladeau

LOUISE —

J'vas arriver avec mon trophée
Y vont toutes tomber à mes pieds
J'vas d'venir une grande vedette
Entourée d'fourrures pis d'tapettes !

LOUISE ET LES CHORISTES —

Demain matin, Montréal m'attend
Demain matin, Montréal m'attend
Cherchez-moé pus à Saint-Martin
Parce que demain j'sacre mon camp !
En ville ! En ville !

LOUISE —

Vous me r'verrez jamais icitte
La p'tite waitress à va changer
A va dev'nir un gros mythe
Pis tout Saint-Martin va baver !

LOUISE ET LES CHORISTES —

Demain matin, Montréal m'attend
Demain matin, Montréal m'attend
Cherchez-moé pus à Saint-Martin
Parce que demain j'sacre mon camp !
En ville ! En ville !

Louise + mother. (Father)

LOUISE — AH ! pis demain matin, c'est ben que trop tard ! J'pense que j'vas partir tu-suite à soir !

Scène III

*La mère, qu'on sentait rôder depuis le début de la chanson apparaît dans un projecteur.*

LA MERE — Louise !
*(Louise s'arrête pile.)*
LOUISE — Que c'est qu'y'a encore !
LA MERE — Où c'est que tu t'en vas, comme ça, gros-Jean comme devant ?
LOUISE — J'm'en vas.
LA MERE — J'le sais ben que tu t'en vas, air bête ! J'le vois ben ! J'te demande où c'est que tu t'en vas !
LOUISE, *tous bas* — Que c'est que ça peut ben te sacrer . . .
LA MERE — J'veux avoir quequ'chose à répondre quand ton père va arriver !
LOUISE — Y va être assez saoul qu'y vous en posera pas, de questions !
LA MERE — J'veux savoir que c'est y répondre si y m'en pose une, m'as-tu entendue ?
LOUISE, *pour elle* — Vous allez le savoir, quoi répondre, vous êtes assez menteuse !
LA MERE — Tu t'en vas rejoindre Johnny, hein ?
LOUISE, *surprise* — Johnny ? *(Un temps.)* Johnny . . . Ben non, j'm'en vas pas rejoindre Johnny . . . J'm'en vas à Montréal . . .
LA MERE — A c't'heure-citte ? Mais t'auras pas d'autobus pour revenir ! Tu pourras pas revenir avant demain . . .
LOUISE — J'ai pas l'intention de revenir avant demain, non plus . . . J'ai pas l'intention de revenir pantoute . . .

Louise — desire to assert herself    Sees mother as passive

LA MERE — Ah ! c'est donc ça . . . Tu te sauves . . . Comme l'autre !

LOUISE — Oui, maman, j'me sauve !

LA MERE — Sans valise, ni rien, comme une tout-nue !

LOUISE — J'f'rai v'nir mon linge quand j's'rai installée . . .

LA MERE — Au moins, l'autre, a l'avait emmené sa valise ! Pis a s'était arrangée pour que j'la voye pas s'en aller ! J'avais juste trouvé sa chambre vide, le lendemain matin . . . pis une lettre . . .

LOUISE — R'commencez donc pas toute c't'histoire-là, maman ! Ça fait douze ans que vous la contez à tout le monde au moins dix fois par jour ! J'vous en fournis une autre, histoire, à conter, là . . . Vous devriez être contente . . .

LA MERE — Que c'est qu'on va devenir, moé pis ton père . . .

LOUISE — Vous allez continuer c'que vous avez commencé y'a cinquante ans . . . Vous allez vous lamenter sans rien faire jusqu'à votre dernier souffle ! Vous avez pas de besoin de moé pour faire ça . . . Chus tannée d'avoir juste du monde qui s'ennuie autour de moé, maman ! Chus tannée de servir des Bar-B-Cue pis des grill-steaks aux hommes d'affaires de Saint-Martin le jour, pis aux bums de Saint-Martin le soir !

*Chanson : « De l'air ! »*

LOUISE —

De l'air ! De l'air ! De l'air !
Donnez-moé de l'air !
Même si est polluée !
L'air propre de Saint-Martin
Les rues propres de Saint-Martin
Le monde propre de Saint-Martin
J'veux pus en entendre parler !
J'm'en sacre !

Si y faut être sale pour vivre,
J'vivrai sale, maman, j'vivrai sale !
J'm'en sacre !
Si y faut être sale pour vivre
J'vivrai sale, maman, j'vivrai sale !

De l'air ! De l'air ! De l'air !
Donnez-moé de l'air !
Même si est polluée !
L'air sale de Montréal
Les rues sales de Montréal
C'est tout ça que j'veux connaître !
Pis j'y vas !
J'm'en sacre !
Si y faut être sale pour vivre
J'vivrai sale, maman, j'vivrai sale !
J'm'en sacre !
Si y faut être sale pour vivre
J'vivrai sale, maman, j'vivrai sale !
De l'air ! De l'air ! De l'air !
Donnez-moé de l'air même si est empoisonnée !

LOUISE — J'm'en vas rejoindre Rita à Montréal, maman ! Chus pus capable de vivre à Saint-Martin ! J'vas essayer de . . . de travailler, là-bas . . .

LA MERE — Penses-tu que c'est plus drôle de vendre des Bar-B-Cue à Montréal qu'à Saint-Martin ?

LOUISE, *lui montre le trophée* — J'm'en vas pas vendre des Bar-B-Cue, maman, regardez . . .

LA MERE, *méchamment* — Que c'est ça ? As-tu gagné ça au Bowling ?

*(Louise la dévisage quelques secondes, puis s'éloigne.)*

LA MERE — C'est ça, va-t-en ! Mais en tout cas, ma p'tite fille, r'viens pas me brailler dans les bras comme l'autre au bout de deux mois. T'sais que ça pas été long qu'est r'venue en rampant, ta sœur, hein ? C'était pas si beau que ça, Montréal, à' fin du compte !

A pensait que j'la ramasserais, que j'la tirerais de sa crotte ! Ben laisse-moé te dire qu'a y' est restée, dans sa crotte ! Ça fait douze ans qu'est partie, là . . . Là-dessus est revenue douze fois . . . Une fois par année . . . Pis quand a revient icitte, c'est toujours pour me demander des « services », pis ces services-là, c'est toujours de l'argent dans les trois chiffres ! Ben j't'la revire de bord ben raide à chaque fois ! « As-tu du cash, m'man ? » « Oui, j'en ai, mais t'auras pas une token ! T'as voulu partir, ma p'tite fille, ben démarde-toé tu-seule ! J't'ai pas élevée pour faire de toé une putain ! »

*(Louise se retourne brusquement vers sa mère !)*

LA MERE — Tout c'que j't'ai dit sur Rita, c'est vrai, Louise !

*(Louise sort en courant.)*

*Chanson : « La chanson de la mère Tétrault »*

LA MERE —

Chaque fois que ça sonne à'porte
Qu'y'est de bonne heure le matin
Ou ben qu'y'est tard le soir
La grosse mère Tétrault se lève !
« C'est-tu Rita qui est morte ? »
Madame, c'est vot'catin
Y'ont fini par l'avoir
Pis y'était temps qu'à crève !

C'est de ça que t'as peur !
Pis c'est ça qui va arriver !
C'est de ça que t'as peur !
Pis c'est ça qui va arriver !

Quand t'en élèves juste deux
Pis qu'y'en a une qui part
Tu voudrais étouffer l'autre
Pour qu'a s'en aille pas !

Mother's song of disappointment - pride - isolation

Mais le soir quand y pleut
Pis que l'autre est en retard !
Tu te dis que c'est d'ta faute
Pis qu'a reviendra pas !

C'est de ça que t'as peur
Pis c'est ça qui va arriver !
C'est de ça que t'as peur
Pis c'est ça qui va arriver !

Mais si a revient des fois
Même si tu t'es ennuyée
T'es ben que trop orgueilleuse
Pour la prendre dans tes bras
Tu te mets les bras en croix
Tu fais la martyrisée
Tu te dis que t'es t'heureuse
Pis que son père est encore gras !
Pis tu restes tu seule !
Pis t'attends !
T'attends que ça sonne à'porte !
Chaque fois que ça sonne à'porte
Qu'y'est de bonne heure le matin
Ou ben qu'y'est tard le soir
La grosse mère Tétrault se lève !

## Scène IV

## Le Bolivar Lounge

*Lola Lee, drapée dans un grand manteau « dramatique » et ses danseurs entrent en scène et se placent pour le numéro de Charleston (le numéro final de la revue « Lola Lee Lolo » ). Les danseurs ont l'air complètement écœurés et se fichent visiblement de la chorégraphie ; Lola Lee, elle semble exaspérée.*

LOLA LEE — Pis oubliez pas, hein, le sourire ! Fendu jusqu'aux oreilles ! La gang de caves qu'y'a dans'-salle, y'ont payé pour nous voir faire nos steppettes, pis sourire, ça fait que steppez, pis souriez !

LES DANSEURS — Ben oui, ben oui . . .

LOLA- LEE — Arrêtez de dire ben oui, ben oui ? PIS FAITES-LE !

LA VOÎX DU M.C. — Et maintenant, voici notre grande vedette, l'époustouflante Lola Lee, dans le numéro final de sa revue, « Lola Lee Lolo » !

LOLA LEE — Pis si j'en vois un qui sourit pas, j'y fend la face d'un bord à l'autre !

*(Aussitôt que la chanson commence, les danseurs ne tiennent aucun compte de ce que Lola Lee vient de leur dire et elle est obligée de les engueuler pendant le numéro, lorsqu'elle a le dos tourné au public . . . (Enfin bref, le vrai numéro manqué.))*

*Chanson : « Dansez-vous le Charleston, Heston ? »*

LOLA LEE —

Je me suis approchée lentement
Comme à l'accoutumée avec mes gants
Accoudé au bar, il buvait
Un whisky-soda avec du lait . . .
J'ai pris sa tête entre mes mains
J'ai mis sa tête entre mes seins
Et j'ai dit :

Dansez-vous le Charleston, Heston ?
Si vous dansez pas le Charleston, Heston
Lola, la tigresse gantée, est une . . .
Fille morte ! Finie ! Lavée ! Heston !

Mais qu'ils s'appellent Nestor ou Heston
Donald, Marcel, Richard ou Burton
Roger, Gordon, Albert ou même Ben

Tous sans exception me trouvent ancienne !
Je prends leurs têtes entre mes mains
Je mets leurs têtes entre mes seins
Mais y'a pus personne qui danse le
Charleston, Non, y'a pus personne qui
danse le Charleston,
Si vous dansez pas le Charleston, Heston,
Lola, la tigresse gantée, est une . . .

*(Heston s'est approché. Il lui flanque une rose dans la bouche.)*

LOLA LEE, *avec la rose dans la bouche* — Voyons, Heston, vous savez bien que je ne danse pas le tango !
*(Après le numéro, toute la troupe reste en scène . . . L'habilleuse de Lola Lee vient lui porter une serviette, un déshabillé et des cigarettes.)*

LOLA LEE — Envoye, envoye, plus vite . . . J'ai jamais eu envie d'une cigarette de même, moé . . . Ça va peut-être me calmer un peu . . . J'ai les nerfs à terre ! Dépêchez-vous, vous autres aussi, moé non plus j'ai pas envie que ça dure deux heures, c'te petite réunion-là !

L'HABILLEUSE — C'tait ben bon, à soir . . .

LOLA LEE — Tourne pas le fer dans'plaie, toé ! Y'avaient toutes l'air des Jacks-in-the-Box avec les springs cassés ! Pépinot et Capucine étaient meilleurs que ça, dans leur temps !

L'HABILLEUSE — Ben, j'ai trouvé ça ben correct, moé . . . Entéka, vous avez ben fait ça, vous, Madame Lee . . .

LOLA LEE — Moé, oui ! Quand chus sur un stage, j'me donne, moé ! Chus venue au Music-Hall parce que j'avais du talent, pas rien que pour montrer mes fesses à tout le monde ! Comment ça se fait que tout le monde est pas là, donc . . .
*(Une fille entre.)*

LOLA LEE — Ah ! Enfin ! Y'est temps !

LA FILLE — Excusez-moé, c'est parce qu'y fallait que j'aille téléphoner tu-suite . . .

LOLA LEE — Conte-nous pas ta vie privée, fille, on la connaît par cœur ! J'vous ai demandé de rester sur le stage après le show, à soir, parce que j'ai quequ'chose de ben important à vous dire . . . Vous avez dû vous rendre compte que la revue commence à se ramollir, depuis quequ'jours . . .

*(Protestations.)*

LOLA LEE — Ah ! pis protestez pas, c'est vrai !

UN GARÇON — Si a nous volait un peu moins, on mettrait peut-être un peu plus de cœur à l'ouvrage !

LOLA LEE — Toé, Nureyev, ta boîte ! Toé le premier ! T'as encore failli m'enfarger pendant « Subo, subo », à soir ! Penses-tu que c'est agréable de danser pour deux ? Chus t'obligée de me tricoter une nouvelle chorégraphie à tous les soirs pour pas t'avoir dans'es jambes ! Vous avez une chorégraphie, ben suivez-la ! Pas p'tites steppettes pour faire plaisir à vos chums, dans'salle !

UN GARÇON — Ou à vos blondes . . .

LOLA LEE — Non, non, non, j'ai ben dit « vos chums » ! Essaye pas de te faire passer pour « straight » Ti-Guy ! A partir de demain, j'veux que le show redevienne chorégraphié comme il l'a été y'a trois mois !

UNE FILLE — M'en rappelle même pus !

LOLA LEE — Ouan, ben moé j'm'en rapelle ! Répétition, demain, deux heures !

*(Vives protestations.)*

*(Louise est entrée. Elle s'est mise une perruque blonde pour « ressembler » à sa sœur. Elle tient une valise d'une main et son trophée de l'autre. Son trophée ne la quittera pas du spectacle.)*

UN GARÇON — Ah ! non, là tu commences à charrier un peu !

LOLA LEE — J't'ai jamais donné la permission de me tutoyer, toé, le serin !

LE GARÇON — Ben j'la prends ! C'te show-là, ça s'adonne qu'on la pratiqué un mois, c't'assez ! Pis si tu veux qu'on pratique encore, là, ben paye-nous ! Ça me fait rien de faire des steppettes, moé, faire ça ou d'autre chose, mais j'veux pas les faire gratis !

LOLA LEE — C'est ça, la piasse ! toujours la piasse ! On dirait que vous faites c'te métiez-là rien que pour la piasse, vous autres !

UNE FILLE — Ben, certain !

LOLA LEE — A votre âge, moé, à votre âge, j'faisais dix fois moins d'argent que vous autres pis j'travaillais dix fois plus fort !

UN GARÇON — Tiens, v'là le long playing qui recommence !

LOLA LEE — Pis mes shows, j'les faisais proprement.

UNE FILLE — Ça, on n'était pas là pour le voir . . .

LOLA LEE — Certainement que j'les faisais proprement ! Ma première job moé, ça pas été au Bolivar Lounge ! J'ai pas eu une Lola Lee pour me prendre sous sa protection, moé ! Non, j'ai commencé dans un trou . . .

UN GARÇON — Pis tu vas finir dans un trou, tout le monde le sait . . .

LOLA LEE — Répète c'que tu viens de dire, toé, Alice !

*(Le garçon se réfugie derrière une danseuse.)*

LOLA LEE — C'est ça, cache-toé derrière une femme par-dessus le marché ! Commencez donc par prendre de l'expérience, pis après vous demanderez qu'on vous paye !

UNE FILLE — C'est ça, crève de faim toute ta vie, bébé, pis à quarante ans, tu commenceras à te payer c'que t'aurais dû te faire payer à vingt ans ! Non, merci ! Moé, la piasse, j'la veux tu-suite, pis l'expérience a viendra après !

LOLA LEE — Ouan, ben j'ai des p'tites nouvelles fraîches pour toé, Rosa ! Tu vas v'nir pratiquer demain pis t'auras pas une cenne de plus, okay ? Dansez comme du monde, verrat, pis y'aura pas de chicane ! Pis à part de ça, Gerda, tu r'viendras me voir dans cinq ans, pour voir ousque t'es rendue !

LA FILLE — Intiquette-toé pas pour moé, « Gerda » ! Dans cinq ans, tu vas être finie, pis c'est moé qui va être à ta place ! On n'est pus en 1950, là ! Ça me prendra pas vingt ans pour arriver, moé, j'sais comment m'y prendre !

LOLA LEE — Fais attention à c'que tu dis, fille ! Si t'as jamais perdu une job vite . . . T'sais que ta « Carrière » pourrait finir ben plus vite que tu penses . . . Ça a pas plus de talent qu'un barreau de chaise pis ça se prend pour Mistinguett !

LA FILLE — Qui ?

LOLA LEE — Une danseuse Hawaiennne dans le temps de Louis XIV ! Ignorante par-dessus le marché ! Sais-tu seulement c'que c'est, un professeur de danse ?

LA FILLE — J'ai assez danser icitte tous les maudits soirs, si tu penses que j'vas prendre des cours par-dessus le marché !

LOLA LEE — Ah ! pis ça sert à rien de m'astiner avec vous-autres, vous êtes toutes des têtes de cochons ! On se r'verra demain après-midi ! Oubliez pas, hein ? deux heures ! Vous êtes trop bêtes pour m'écouter, ben tant pire pour vous autres !

*(Elle se dirige vers la sortie et aperçoit Louise.)*

LOUISE — Allô !

LOLA LEE, *surprise* — Louise !

*(Après quelques instants elle court vers sa sœur et la prend dans ses bras.)*

LOLA LEE — Louise ! Ma p'tite sœur ! J'te reconnaissais pas avec ta perruque blonde !

LOUISE — Ça paraît que c't'une perruque ?

LOLA LEE — Ben... euh... non, quand on te connaît, avec tes cheveux noirs, ça... ça fait changement !

LOUISE — Aimes-tu ça ?

LOLA LEE — Ben... c'est... différent... Comment ça va toé ?

LOUISE — Ah ! ça va ben... ça va ben.

LOLA LEE — Que c'est que tu viens faire à Montréal ? *(En riant.)* T'en viens-tu tenter ta chance dans le Bar-B-Cue par icitte ?

*(Louise ne rit pas.)*

LOUISE — Non. J'm'en viens chanter.

LOLA LEE — Quoi !

LOUISE — Ben oui, j'm'en viens tenter ma chance dans le chant... Comme toé ! 'Gard, j'ai gagné le trophée Lucille Dumont !

LOLA LEE — Que c'est ça, le trophée Lucille Dumont !

LOUISE — Vous avez pas entendu parler de ça, à Montréal ?

LOLA LEE — Ben... non.

LOUISE — Ah... c'est plat. Ben, c'est pareil comme celui que t'avais gagné par chez nous, là, t'sais... comment ça s'appelait, donc...

LOLA LEE — Ah ! oui, les découvertes de Simone Quesnel !

L'HABILLEUSE — Vous avez déjà gagné aux découvertes de Simonne Quesnel ! Moé aussi ! Ça fait si longtemps que ça que vous êtes à Montréal ? Quel âge que vous avez, donc, madame Lee ?

LOUISE — Ben, moé j'ai vingt-deux ans, ça fait qu'elle a l'a...

LOLA LEE — Comme ça, tu t'en viens chanter à Montréal ! Tu m'avais jamais dit que tu chantais... p'tite cachotière...

LOUISE — J'vas d'venir une grande vedette, Rita !

*(Les danseurs rient.)*

LOLA LEE — Appelle-moé jamais Rita icitte, toé !

LOUISE — Ah ! 'cuse-moé . . . J'vais d'venir une grande vedette, Lola !

LOLA LEE — R'marque que si t'as gagné un trophée, c'est que tu dois avoir un peu de talent . . .
*(Moqueries.)*

UNE FILLE — J'en ai déjà gagné un, trophée, moé, pis j'vous dis que c'est pas avec ma voix que j'l'ai gagné !

LOLA LEE — Y m'semble que j'vous avais dit que j'vous avais assez vus, vous autres ! Oubliez pas hein ? Demain, deux heures !
*(Les danseurs sortent.)*

UN DANSEUR — Salut, Rita Lee !

UNE DANSEUSE — Une chance qu'a s'appelait pas Sara !

LOLA LEE — Pis, comment ça va, à'maison ?

LOUISE — Ah ! t'sais . . . sont toujours pareils . . . Juste un peu plus vieux . . . Mais j'te dis qu'y s'emmieutent pas en vieillissant, par exemple ! J'dirais même qu'y rempironnent !

LOLA LEE — Maman, a m'en veut-tu toujours ?

LOUISE, *après un hésitation* — J'sais pas . . . Mais j'pense pas, non, j'pense pas . . . En tout cas, a n'en parle pas . . .

LOLA LEE — A parle jamais contre moé ?

LOUISE — Non. A parle jamais de toé.
*(Silence gêné.)*

LOUISE — Vas-tu pouvoir m'aider ?

LOLA LEE — T'aider ?

LOUISE — Oui . . . ben, pour me trouver une job . . .

LOLA LEE — Ah ! oui . . . J'pourrais peut-être te faire rentrer au Marakech, y'ont justement besoin d'une fille . . . mais c't'un joli trou, par exemple . . . A moins que j'demande à Maurice, au Coconut Inn . . . J'pense qu'y voulait changer toutes ses chorus girls . . .

LOUISE — J'veux pas être chorus girl ! J'veux commencer à chanter tu-seule tu-suite !

LOLA LEE — Voyons donc, Louise, Montréal, c'est pas un village ! Tu deviens pas vedette comme ça, du jour au lendemain ! Ça m'a pris dix ans, moé...

LOUISE — Mais chus ta sœur... On peut faire ben d'la publicité avec ça... Si tu me gardes dans ton show, on pourrait chanter ensemble !

LOLA LEE — Ouan, tant qu'à ça... On pourrait peut-être faire un peu de publicité avec ça... J'te dis que par les temps qu'y courrent, ça nuirait pas, un peu de publicité... Que c'est que tu chantes ? Des grosses affaires réalistes, là, j'suppose ? Style « Mon Crédo » ? La Mireille Mathieu québécoise ?

LOUISE — Non ! Non ! J'chante la même chose que toé ! Ça va être facile ! Pis j'chante pareil pareil comme toé !

LOLA LEE — Quoi !

LOUISE — Ben oui, j'ai gagné mon trophée en chantant comme toé dans « Le Brésil Brille » ! Tu t'en rappelles, dans ton dernier show, là, t'arrivais toute déguisée en robe à volants, pis tu revolais de tous les bords pis de tous les côtés en chantant « Le Brésil Brille, Brasilia, Brasilia braille... »

LOLA LEE — Mais es-tu après virer folle ? T'as quand même pas envie de faire carrière en m'imitant !

LOUISE — Ben quoi, y'en a des sœurs qui chantent !

LOLA LEE — Ben oui, mais on n'est pas les sœurs Reno, bonyeu !

LOUISE — Aie, Rita, nous vois-tu toutes les deux, en train de chanter la même chanson dans la même robe... Ça s'rait le fun...

LOLA LEE — Oui, j'nous vois, pis j'trouve pas ça le fun pantoute ! Aie, bebé, tu vas me poigner la première autobus right back pour Saint-Martin pis tu vas t'en retourner direct dans ton Bar-B-Cue, okay ?

LOUISE — J'pense pas, moé...
LOLA LEE — Y'a pas de ni çi, ni ça...
LOUISE — D'abord, là, y'en n'a pas d'étebus !
LOLA LEE — Ah ! c'est ça, tu pensais que j'te garderais pareil, hein, ma p'tite... Ben imagine-toé donc que j'ai d'autres choses à faire que de m'occuper de toé... Tu peux v'nir coucher à'maison, à soir, si tu veux, mais laisse-moé te dire que ta carrière d'imitatrice, là, a vient de s'éteindre !
LOUISE — J'veux rester à Montréal ! Moé aussi, j'ai le droit d'avoir ma chance !
LOLA LEE — Si tu savais c'que c'est, Montréal, t'appellerais pas ça une chance, ma p'tite fille ! Ça fait longtemps que t'es pas venue icitte, hein ?
LOUISE — J'viens jamais, popa veut pas. J'viens juste voir tes shows avec lui, des fois...
LOLA LEE — Tu connais pas ça, les cabarets, le milieu des cabarets, pis tout ça, hein ?
LOUISE — Non, mais j'vas le connaître ça s'ra pas long, par exemple !
LOLA LEE — Tu mériterais quasiment que j'te le montre tu-suite, c'que c'est...
LOUISE — Ben, toute est fermé, à c't'heure icitte, non ? Les shows de cabarets sont toutes finis !
LOLA LEE — Les shows, c'est rien qu'un côté de la médaille, Louise ! J'suppose que t'es assez niaiseuse pour penser que le monde vont se coucher, quand y'ont fini icitte ?
LOUISE — Ben... si y'a pus rien à faire...
LOLA LEE — Les danseurs que t'as vus, t'à l'heure, comment tu les trouvais ?
LOUISE — Les danseurs ? j'les ai pas ben ben vus, mais y'avaient l'air d'être pas mal beaux... Y'avaient l'air sexys, en tout cas...
LOLA LEE — Sais-tu ousqu'y vont, quand y sortent du cabaret ?
LOUISE — Ben... non.

LOLA LEE — Aimerais-tu ça que j'te le montre, ousqu'y vont ?
LOUISE — J'sais pas, moé . . .
LOLA LEE — Bon, ben attends-moé icitte, là, m'as aller me changer, pis m'as toute te montrer ça . . . J'te sors, à soir !
LOUISE — Ah ! merci, Rita . . . euh, Lola, t'es ben blood !
LOLA LEE — M'en vas te le montrer, le deuxième côté de la médaille, moé !
LOUISE — T'es t'assez fine, Lola !
LOLA LEE — M'as t'écœurer assez raide de Montréal, ma p'tite viarge que tu vas poigner la première « étebus » pour Saint-Martin, demain matin . . .

*(Elle sort.)*

*(L'habilleuse est restée en scène. Elle s'approche de Louise.)*

LOUISE — Aie, j'vous dis que c'est grand quand c'est vide, icitte !
L'HABILLEUSE — Quand c'est plein aussi ! Je l'ai connu ben plus plein qu'aujourd'hui, vous savez !
LOUISE — C'est à Lola, tout ça ?
L'HABILLEUSE — Ben, c'est-à-dire . . .
LOUISE — Un jour, ça va être toute à moé . . . Les micros, y marchent-tu ben ?
L'HABILLEUSE — Ben . . . oui.
LOUISE — J'aimerais ça en essayer un . . . Si chus pour travailler icitte, hein . . .
L'HABILLEUSE — J'aimerais ben ça, vous entendre . . .
LOUISE — Mais j'sais pas quoi chanter, par exemple.

*(L'habilleuse lui montre son trophée.)*

LOUISE — Oui, j'pense que j'vas dire merci à Lucille.

*Chanson : Merci, Lucille.*

Merci Lucille ! Merci Lucille !
C'est grâce à vous si chus t'en ville

Pis si du jour au lendemain
Louise Tétrault va dev'nir . . . Lyla Jasmin !

Lyla Jasmin ! Lyla Jasmin !
Ça fait des années que j'y pense
Que j'vois mon nom, dans'l'Montréal-Matin
Pour m'annoncer au Club Renaissance !

Lyla Jasmin ! Lyla Jasmin !
Ça fait des années que j'en rêve
Ça fait des années que je crève
D'envie d'chanter au chic « Quartier Latin »

Merci Lucille ! Merci Lucille !
C'est grâce à vous si chus t'en ville
Pis si du jour au lendemain
Louise Tétrault va dev'nir . . . Lyla Jasmin !

Mon nom va être dans tous les journaux
Le monde vont me r'connaître su'a rue !
Une nouvelle Gaétane Létourneau
R'gardez-la, l'avez-vous ben vue !
C'est la plus grande Star de Montréal
Y'ont monté une revue juste pour elle
C'est elle la nouvelle Muriel
C'est elle la vamp qui fait si mal !
C't'à elle que les hommes les plus difficiles
lancent des camélias, des orchidées, des roses
C'est sur elle que le Music-Hall repose !
Chus la plus grande !
Chus la meilleure !
La nouvelle reine du Music-Hall !

Merci Lucille ! Merci Lucille !
C'est grâce à vous si chus t'en ville
Pis si du jour au lendemain
Louise Tétrault va dev'nir . . . Lyla Jasmin !
Merci Lucille ! Merci Lucille !

Evolution of name Hosanna    Meat rack -

*(Lola est entrée pendant que Louise chantait.)*

LOLA LEE — T'en viens-tu, Lyla Jasmin ?

## Scène V

*Le « Meat Rack », bar spécialisé de Montréal... Les dix travestis entrent en scène au son d'une « jungle music », s'éparpillent dans le bar, et se figent.*

MONA-LISA — Ma gaine me fait mourir !

CANDY-BABY — Moé, c'est mes souliers qui me font mal... J'pense que j'vas les ôter...

MARCEL-GERARD — C't'idée, aussi, de porter encore des souliers pointus qui datent de 1960 ! Ancienne !

CANDY-BABY — Tu sauras, Marcel-Gérard, que la fin des années cinquante, c't'est la plus belle époque pour la mode !

HOSANNA — Pour ceux qui aiment les parachutes, oui ! As-tu lavé ta crinoline dans le corn-starch pis dans le sucre, hier soir, Candy ? A te grafigne-tu les jambes comme faut, là ?

CANDY-BABY — Bitch !

MARCEL-GERARD — T'as rien à dire avec ton imitation de succédané de fausse Cléopatre synthétique, toé, Rose-Anna !

HOSANNA — C'est pas Rose-Anna, mon nom, c'est Hosanna !

MARCEL-GERARD — Tiens, c'est nouveau, ça ? T'est rendue Juive, astheur ? Y'a deux semaines, tu t'appelais encore Rose-Anna, comme une bonne p'tite québécoise !

MONA-LISA — C'est parce qu'a l'a rencontré un vieux Juif, qui y'a faite crier « Hosanna, au plus haut des cieux » !

HOSANNA — Bitch !
BUTCH — Que c'est que tu veux ?
HOSANNA — J'ai pas dit Butch, j'ai dit bitch !
BRIGITTE — Ça r'vient au même, de toute façon !
BUTCH — Veux-tu un coup de karaté su'a noix, toé ?
COW-BOY — Que j'te voye pas toucher à Brigitte, toé, la toffe, parce que c'est toé qui va y goûter, après !
BRIGITTE — Merci, Cow-Boy, j'te r'vaudrai ça !
MARINE — En nature . . .
BRIGITTE — Pourquoi pas ?
MARINE — T'as pas peur d'attraper des bibittes, Cow-Boy ? T'sais que Brigitte est spécialiste là-dedans !
BRIGITTE — Marine ! J'te défends . . .
COW-BOY — C'tu vrai, ça ?
CUIRETTE *(se grattant)* — Oui !
BRIGITTE — Bitch !
CUIRETTE — Approche-toé pas de Brigitte à plus de dix pieds, Cow-Boy, parce que ça pourrait te coûter une fortune en onguent . . .
SLIM — Que vous êtes donc vulgaires !
MONA-LISA — Tiens, la Parisienne, qui daigne ouvrir la bouche . . . avant d'ouvrir le reste, ! D'habitude, c'est le contraire qu'a fait . . . Hein, Slim ? Pis à part de ça, j'sais pas pourquoi t'as gardé c'te nom-là . . . En plus de pus être spécialement Slim depuis ton voyage à Paris, t'es même pus mâle ! Faudrait te trouver un autre nom, Slim . . . Quequ'chose de frais, de léger . . .
BUTCH — Minou Drouet ! le mâle toffe qui est devenu poétesse !
SLIM — Bitch !
BABALU — C'est vrai, quand c'est qu'y sort, ton livre de « Poèmes homosexuels », Minou ?
SLIM — Toé, la danse du ventre, ta boîte ! T'as oublié de te mettre ton rubis dans le nombril, à soir ?

MIMI-PINSON — Non, a l'a oublié chez Cuirette, à matin . . .

BABALU — T'as ben menti, Mimi-Pinson ! J'ai couché chez nous, la nuit passée !

HOSANNA — T'as pas poigné, hier, Babalu ?

BABALU — Pour une fois, j'ai voulu faire comme toé, innocente !

CANDY-BABY — Voyons, voyons, voyons, les filles, on n'est pas venues ici pour se chiffonner le chignon . . .

BUTCH — Quel chignon ?

MARCEL-GERARD — Candy a raison . . . Mimi-Pinson nous a fait venir icitte, ce soir . . .

SLIM — Y'est tout mêlé dans son français, elle . . .

MARCEL-GERARD — . . . en nous promettant une surprise . . . Attendons donc de voir la surprise avant de se dévorer les unes . . . les uns les autres . . . Ça viendra assez vite si la surprise est pas un beau mâle . . .

MIMI-PINSON — Vous pouvez continuer à vous crêper le chignon tant que vous voudrez, d'abord, parce que la surprise est justement pas un beau mâle . . . au contraire . . .

HOSANNA — Ça y'est, Guilda est parmi nous !

MIMI-PINSON — Pire que ça, mes chéries !

BUTCH — Ça se peut pas . . .

MIMI-PINSON — Ah ! oui, ça se peut . . .

CUIRETTE — Nous avoir faite venir pour pire que Guilda, franchement !

*(Mimi-Pinson monte sur la scène et prend le micro.)*

BUTCH — Si c'est toé qui chantes, j'comprends que c'est pire que toute !

Mimi-Pinson, *dans le micro* — Aie pas peur, Butch, c'est pas moé qui chante . . .

BRIGITTE — J'gage qu'a va nous annoncer son « party annuel » qui coûte vingt-cinq piasses le couple !

Duchess - home from mex.

CANDY-BABY — Moé, j'pourrai pas v'nir c't'année, mon mari est sur l'assurance sociale . . .

HOSANNA — Tu vas être obligée de t'acheter un drap neuf, Brigitte !

BRIGITTE — Bitch ! Tu sauras que c'est pas un drap, que je porte ! C'est du satin pur laine ! Pis y'est neuf !

SLIM — Voyons donc, c'est celui que t'avais quand t'as été élue « Miss Meat Rack », y'a quatre ans !

BRIGITTE — C'est ben pas vrai ! Ça fait même pas quatre ans que chus t'en ville !

BUTCH — Fais-la donc pas brailler, le maquillage va y couler pis ses boutons vont apparaître !

MIMI-PINSON, *dans le micro* — Bon, ben, j'peux-tu l'annoncer, là, ma surprise, ça fait cinq minutes que je niaise derrière mon micro !

BUTCH — On n'a pas fini de se chicaner . . .

*(Cow-Boy vient se planter devant Butch !)*

BUTCH — Sais-tu une chose, Cow-Boy ? Si j'étais un garçon, là, j'te trouverais sexy ! Ça pense que ça fait peur au monde, pis c'est pas plus mâle que sa mère !

MIMI-PINSON — Mesdames, mesdemoiselles, messieurs . . .

BUTCH — Monsieur ! Chus tu-seule !

MIMI-PINSON — Okay, d'abord ! Mesdames, mesdemoiselles, Butch ! J'ai maintenant le très vif plaisir de vous annoncer le retour d'une de nos anciennes grandes étoiles . . .

BABALU — Ça y'est, Estelle Caron, s'est remis à faire du cabaret !

MIMI-PINSON — J'ai nommé, la seule, l'unique, la divine . . .

HOSANNA — Gréta Garbo est icitte ?

*(La duchesse entre en scène, brusquement.)*

LA DUCHESSE — Greta Garbo n'est plus, vive la duchesse de Langeais !

My name is . . . Topaze, Rainbow, Michel and . . . Purple.

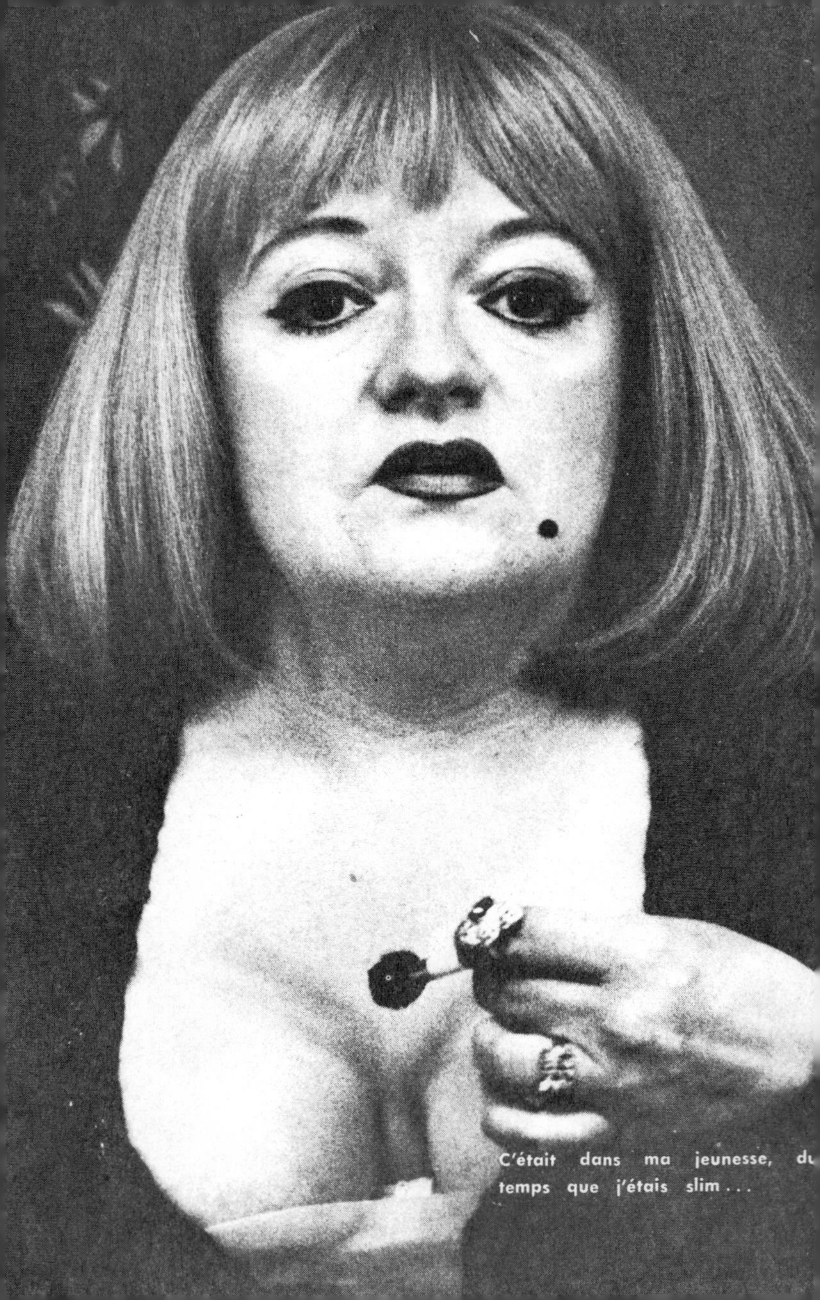

C'était dans ma jeunesse, du temps que j'étais slim . . .

Le Brésil brille, Brasilia braille . . .

Chus t'au top de ma carrière...

Pour vivre, y faut entrer dans la danse . . .

Tu peux sortir
la fille de l'est,
mais pas l'est
d'la fille !

Réjouissez-vous, les filles, la Duchesse est r'venue...

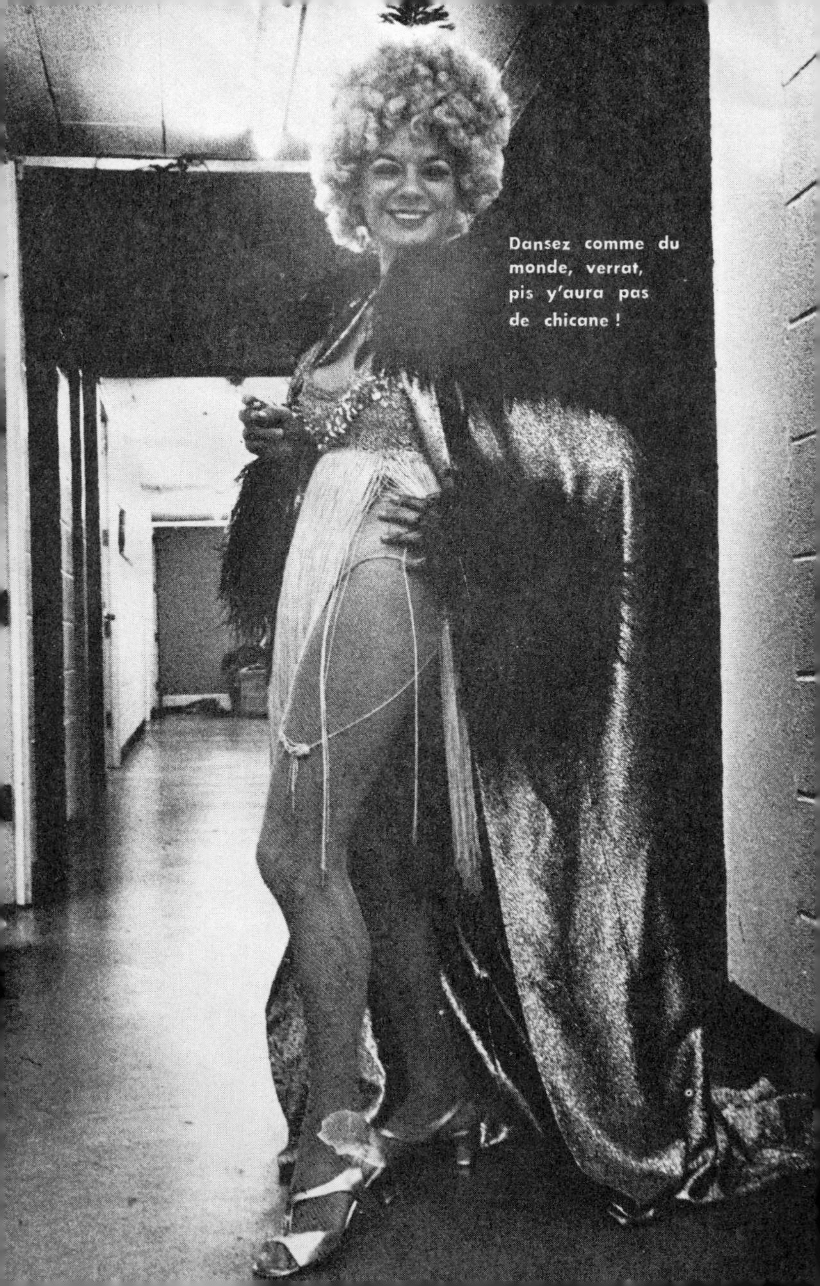

Dansez comme du monde, verrat, pis y'aura pas de chicane !

Duchesse c Lola Lee costume
Lola's song

LES AUTRES — La duchesse !
BABALU — La duchesse est revenue du Mexique !
MARCEL-GERARD — J'veux pas voir ça, moé, j'veux pas voir ça !
LA DUCHESSE — Bonsoir mes bejoux . . .
BUTCH — A l'a encore son costume de Lola Lee !
MARCEL-GERARD — A va encore nous chanter « Dansez-vous le Charleston, Heston ? », j'suppose !
CUIRETTE — C'est ça, suppose, suppositoire !
LA DUCHESSE — Je suis très heureuse d'être de retour parmi vous . . .
MARCEL-GERARD — Ouan, ben pas nous autres !
LA DUCHESSE — Et j'ai de plus le plaisir de remarquer dans l'assistance la présence d'un des grands potineurs de la Métropole, monsieur Marcel-Gérard !
MARCEL — Bitch !
LA DUCHESSE — . . . qui, je l'espère d'ailleurs, n'annoncera pas son mariage avec moé dans son prochain journal . . . Je vais donc commencer mon tour de chant de ce soir par une imitation qui restera désormais célèbre dans les annales de . . . de . . .
HOSANNA — Les annales de qui, dis-le !
LA DUCHESSE — Dans les annales de drags ! Voici, donc, publié adoré . . .
TOUT LE MONDE — Lola Lee !
LA DUCHESSE — Gang de Bitch ! Musique, Maestro, plase !
MARCEL-GERARD — Chus tanné d'la voir faire ça, chus tanné !

*Chanson : « Dansez-vous le Charleston, Heston ? »*

LA DUCHESSE —

Je me suis approchée, lentement
Comme à l'accoutumée, avec mes gants
Accoudé au bar, il buvait . . .

MARCEL — Ça vaut la peine ! Oui, ça vaut la peine d'aller passer un an au Mexique pour rev'nir juste plus vieille !

*(La duchesse descend de la scène et s'approche de Marcel, qui recule, effrayé.)*

LA DUCHESSE — Salut, Marcel !

*(Elle sert la main de Marcel qui se met à hurler de douleur.)*

LA DUCHESSE — Ça vaut la peine d'aller passer un an au Mexique pour revenir juste plus quoi !

MARCEL — Lâche-moé, tu me casses la main !

LA DUCHESSE — Juste plus quoi ?

MARCEL — J'peux quand même pas te dire que t'es belle ! bonyeu, tu fais peur !

*(La duchesse lâche Marcel.)*

LA DUCHESSE — Pendant que j'vieilissais au Mexique, toé, tu te rendais ridicule à Montréal, y paraît ! Y paraît que t'avais tellement besoin de faire parler de toé que t'as pris tous les moyens possibles-imaginables, pis que t'as fouerré à chaque fois ! Y paraît que tu rêvais de scandales internationaux, pis que tu te r'trouvais toujours avec des p'tits potins locaux !

MARCEL-GERARD — Tu sauras, duchesse, que tout le monde me reconnaît partout, moi ! Quand j'viens ici, c'est bien simple, je suis z'obligée de me cacher, parce que tous les p'tits gars me demandent des autographes !

LA DUCHESSE — Hon ! Pauv't enfant ! Si a fait pas pitié ! Est star, pis à se plaint !

BABALU — Pourtant, quand a faisait ses grands rêves, est-tait ben heureuse . . .

BRIGITTE — A portait pus à terre . . .

CUIRETTE — Non, a portait à gauche . . .

SLIM — A nous contait ses futurs aventures . . . internationales !

BUTCH — Est-tait toute transformée !

LA DUCHESSE — Une vraie Alice au pays des merveilles ! Mais là, son rêve est fini, Alice vient de se réveiller . . . A vient de se rendre compte qu'est pas internationale pantoute, Alice !

*Chanson : « Meat Rack Walz »*

LE CHOEUR —

On a pété la baloune d'Alice !
On a pété la baloune d'Alice !
Alice qui pensait être élue Miss
S'est cassé la yeule . . . ah ! que c'est triste !

On a pété la baloune d'Alice !
On a pété la baloune d'Alice !
A va se jeter en bas d'un édifice
A moins qu'a se lance à pieds joints dans le vice !
Y faut r'souffler la baloune d'Alice !
Y faut r'souffler la baloune d'Alice !

LA DUCHESSE —

Ah ! viens, ah ! viens, ah ! viens
sur mon épaule !
Viens essuyer tes larmes !
Je saurai vaincre tes alarmes !
Arrête, arrête de pleurer, ô saule !

LA DUCHESSE — Tous en chœur, maintenant . . .

LE CHOEUR ET LA DUCHESSE —

Ah ! viens, ah ! viens, ah ! viens
sur mon épaule . . . etc.

*(Lola et Louise sont entrées depuis un bon moment.)*
*(Tout de suite après la valse, un travesti les aperçoit et pousse un cri « d'effroi » . . .)*

BABALU — Seigneur Dieu, des femmes !

*(La duchesse pousse, elle aussi, son petit cri « d'effroi », puis, reconnaissant Lola :)*

LA DUCHESSE — Ah ! c'est pas grave, les filles, c'est rien que Lola Lee . . .

LOLA — Comment ça, « C'est rien que Lola Lee » !

LA DUCHESSE — Ça y'est, j'viens d'en insulter une autre ! *(Très femme du monde.)* Vous savez bien, très chère, que les femmes du sexe ne sont point admises dans ce cénacle, sauf pour de quelques rares exceptions, dont vous nous faites l'insigne honneur de faire partie de !

LOLA LEE, *sur le même ton* — Je n'abuse pas souvent de ce précieux privilège . . . ça m'écœure, icitte !

MIMI-PINSON — Tu disais pas ça, un temps, Lola . . .

LOLA LEE — J't'ai jamais dit que ça m'écœurait pas, ta boîte, Mimi ! J'ai travaillé pour toé parce que j'étais dans la rue, mais ta job, a me rendait malade, si tu veux savoir !

MIMI-PINSON — Toujours aussi charmante . . .

BRIGITTE — A l'a déjà travaillé icitte, c't'agrès-là ?

BUTCH, *à Louise* — Salut, bebé . . .

MIMI-PINSON — Lola ? A l'a été la vedette-maison pendant presqu'un an . . .

LOUISE — Allô . . .

LA DUCHESSE — Vous avez jamais entendu parler de la revue «Douze femmes, un homme » ? Ben l'homme, c'tait elle !

LOLA LEE — Ouan, pis les douze femmes, c'tait toé !

BUTCH, *à Louise* — Que c'est que tu fais, à soir ?

LOUISE — J'sors avec ma sœur . . .

BUTCH — Wow ! Vous faites ça en famille, vous autres ?

LA DUCHESSE, *apercevant Louise* — Ah ! mais que vois-je ! Qui est cette charmante enfant . . . Lola, t'as pas viré ton capot de bord, toujours !

LOLA LEE — Aie pas peur, duchesse . . . J'te présente ma sœur Louise !

LA DUCHESSE, *bitchy* — Louise Lee ?
LOUISE — Non, Louise Tétrault !
LOLA LEE — Ta yeule, toé !
MARCEL-GERARD, *qui s'était caché derrière Cow-Boy, à l'arrivée de Lola* — Ah ! enfin ! J'le sais, son nom ! A s'appelle Tétrault ! Tétrault ! C'est too much, c'est pas possible, not to be believed, Lola Lee s'appelle Tétrault !
LOUISE — Y savaient pas que tu t'appelles Tétrault ?
LOLA LEE — Non, y le savaient pas ! Imagine-toé donc que ça fait juste cinq ans que c'te p'tite fausse-couche blonde-là essaye par tous les moyens de le savoir !
LOUISE — Pourquoi ?
LOLA LEE — C't'un journaliste, Louise, pis les journalistes, ça veut toujours tout savoir . . .
LOUISE, *souriant à Marcel* — Un journaliste . . .
LOLA LEE — Non, non, Louise attention, là, une minute ! Garroche-toé pas tu-suite comme ça dans les bras du premier journaliste venu ! Première chose que tu vas savoir, tu vas te r'trouver témoin ou ben donc femme d'honneur dans un mariage de tapettes !
LOUISE — Parfait pour la publicité, ça . . . *(Elle s'approche de Marcel.)* Enchantée . . . Mon nom est Louise Tétrault, je suis la sœur de Lola Lee et je viens de gagner le trophée Lucille Dumont . . .
*(Lola Lee l'attrape par une aile.)*
LOLA LEE — Aie, wow, là ! Mets les breaks ! ça fera ! Veux-tu tu vas t'ouvrir la trappe rien que quand j'vas te le demander ? J't'ai emmenée icitte pour voir, Louise, pour regarder . . . Okay ? R'garde tant que tu voudras . . .
BRIGITTE — . . . mais touche pas !
BUTCH — Moé, j'me laisserais ben toucher . . . Ça fait longtemps que j'me sus pas tapée une waitress !
LOUISE — Comment ça se fait que vous savez que chus waitress ?

CANDY-BABY — A cause de ta beautiful gown en soie noire, sertie de pierres du rhin et de ton diadème assorti, chérie !

LOUISE — Ah ! 'xcusez-moé . . . Vous comprenez, j'viens que j'oublie que j'ai ça sur le dos . . . Mais va falloir que j'mhabituse à porter d'autre chose, hein, quand j'vas être . . .

LOLA LEE — Louise ! Tiens-toé près de moé, veux-tu ?

BUTCH — Tu veux pas me la laisser un peu Lola ?

LOLA LEE — Voyons donc, Butch . . . Est toute fraîche débarquée à Montréal . . . J'te gage qu'a s'est même pas encore aperçue que t'es t'une fille !

LOUISE — C't'une fille, ça !

BUTCH, *à Lola* — Bitch !

LOLA LEE — J'veux ben croire qu'y fait noir, Louise, mais ouvre-toé un peu les yeux ! Bonyeu !

COW-BOY, *à Louise* — Moé, chus pas une fille, bebé . . .

LOLA LEE — Non, mais tu vaux pas l'yable mieux, toé, la cow-girl !

COW-BOY — Qu'est-ce que t'en sais ?

BRIGITTE — Ah ! ben, si j'apprends que tu vas avec les femmes, Cow-Boy . . .

MARINE — . . . pas de payage en nature, à soir . . .

MARCEL-GERARD, *à Louise* — Pis, son prénom, c'est quoi ? A s'appelle toujours ben pas Lola Tétrault !

LOLA LEE — Louise !

LOUISE — Ben . . . Rita . . .

MARCEL-GERARD — Rita ! Rita ! Rita Tétrault ! C'est trop beau, j'vas m'évanouir !

LOLA, *à Louise* — Bitch !

LOUISE — Pourquoi t'as voulu me montrer tout ça ! c'tait pas nécessaire, que j'voye toute ça . . . Y'a juste des . . . enfin, tu sais c'que j'veux dire . . . Y'a a même un qui dit qu'y'est duchesse, c'est pas des farces !

LOLA LEE — Tu penses que ça a rien à voir avec ton « futur métier de vedette » c'qui se passe icitte, Lyla Jasmin ? J't'ai justement emmenée icitte pour te montrer les gars que tu peux rencontrer, je dirais même des gars que tu rencontres le plus souvent quand tu deviens Star, Lyla Jasmin ! T'as pas r'gardé come faut ? Elle, là-bas . . . pis elle, là . . . pis l'autre . . . c'est mes danseurs que tu trouvais si sexy, tout à l'heure !

*Chanson : « Du premier au dernier »*

LOLA LEE —

Du premier au dernier
Du plus blond au plus noir
Plus qu'y sont beaux, Louise, oui,
Plus qu'y sont beaux,
Plus qu'y faut que tu t'en méfies !

Quand un beau gars veut s'approcher
C'est pas toujours pour t'avoir
Y t'fait souffrir, Louise oui, y t'fait souffrir !
Pis là, y s'met à te trouver plate !

Regarde autour de toé
Regarde-les comme y faut
Les gars qui sont icitte, Louise, oui,
Les gars qui sont icitte
T'es as toutes vus à la tv !
Y sortent avec toé parce qu'y te trouvent drôle
Y sortent avec toé parce qu'y te trouvent fine !
Mais t'es tu-seule, Louise, oui,
T'es ben tu-seule
Quand tu te couches le soir dans ton lit !

TOUT LE MONDE —

Du premier au dernier
Du plus blond au plus noir

Duchess – her decline due to handsome men! Edouard
Lola acknowledges need to get along in that society –

Plus qu'y sont beaux, Louise, oui
Plus qu'y sont beaux !
Plus qu'y faut que tu t'en méfies !

LA DUCHESSE — Tout c'qu'a dit-là, là, c'est ben vrai, Louise, prends, moé, par exemple.

LOLA LEE — C'est pas de toé que je parlais, duchesse !

LA DUCHESSE — Tu sauras que tout ça m'est arrivé, à moi aussi ! C'est les hommes trop beaux qui m'ont perdue !

LOLA LEE — Ouan, pis j'te dis qu'y t'ont pas manquée, hein ? Ton voyage au Mexique t'as pas améliorée, duchesse ! J't'ai-tu déjà dit que déguisée de même t'avais l'air d'une baleine en mal d'amour ?

LA DUCHESSE — Sais-tu en qui chus déguisée, Rita ?

LOLA LEE — Oui, j'le sais à qui t'essayes de ressembler, Edouard !

MARCEL-GERARD — Edouard ! Edouard !

LOLA LEE — Mais seulement, pour y arriver, y faudrait que tu te fasses dégraisser à la pelle à steam . . .

MARCEL-GERARD — J'te dis qu'est vulgaire, la Rita Tétrault, quand a se laisse aller !

LOLA LEE — Ah ! toé, Marcel-Gérard, ta trappe, hein, parce que ça s'ra pas long que tu vas aller la rejoindre, la duchesse ! Ça fait six-sept ans que t'essayes de percer par tous les moyens, là, pis qu'y'a rien qui arrive ? Tu fais des flops même aux vues ! Tu vas finir comme la duchesse . . . *(A Louise.)* Parce que elle aussi c'était une « révélation » jadis !

MARCEL-GERARD — Ecoute donc, toé, es-tu venue icitte juste pour nous insulter ?

LOLA LEE — C'est vrai, y faut pas que j'soye bête avec lui, parce qu'y va se fâcher blond, blond, blond !

MARCEL-GERARD — J'aime pas qu'on se paye ma tête !

LA DUCHESSE — Mais voyons mon bejou, y'en n'est pas question ! Y'a personne à Montréal qui a les moyens de se payer une tête pareille !

MARCEL-GERARD — Bitch !
LOLA LEE — A bitch, bitch et demie, ma p'tite fille !
MARCEL-GERARD — J'te défends de parler de moé au féminin, çà pourrait nuire à ma carrière !
LOLA LEE — Sa carrière ! Quelle carrière ! Ta carrière de marbre dans le désert du Névada ?

*Chanson : « Bitch »*

LA DUCHESSE —
Ça joue la femme du monde que c'en n'est pas possible
Pis ça pas plus de classe que la dernière des filles
Ça vous prend un accent que c'en est pénible !
Tu peux sortir la fille de l'est mais pas l'est d'la fille !

MARCEL-GERARD —
Bitch !

LOLA LEE, *à la duchesse* —
T'as rien à dire, toé, la grande dame d'Hollywood
T'es encore pire avec tes histoires qui tiennent pas
[deboute !
T'as pas l'air d'une duchesse, t'as l'air d'un Camilien
[Houde
Qui s'rait dev'nu trop gros, pis qui souffrirait d'la goutte !

LA DUCHESSE —
Bitch ! Bitch ! Bitch ! Bitch ! Bitch ! Bitch ! Bitch !

MARCEL-GERARD —
Si Lola Lee s'appelle vraiment Rita Tétrault
Rita Tétrault va payer pour Lola Lee
A m'hais toujours pour rien quand a me lit
Là, au moins, a va voir une raison, pis y'est pas trop tôt !

LOLA LEE —
Bitch ! Bitch ! Bitch ! Bitch ! Bitch ! Bitch ! Bitch !

Love-hate    metier of show business

LOLA LEE —
J'te défends de parler de moé dans ton journal

MARCEL-GERARD —
Tu peux rien me défendre, c'est mon droit le plus légal

LA DUCHESSE —
Allons, les petites filles, vous commencez à charrier !

MARCEL ET LOLA —
Toé, la duchesse, ta yeule, pis laisse-nous nous
[engueuler !

LOLA, MARCEL ET LA DUCHESSE —
On passe le plus clair de not'temps à nous engueuler
On s'aime, on s'hait, on s'adore, on est toutes mêlées !
C'est pas des pierres qu'on se garroche, c'est des pavés
[qu'on se pitche.
Mais c'est bon pour notre publicité pis c'est pour ça
[qu'on est . . .
Bitch ! Bitch ! Bitch ! Bitch ! Bitch ! Bitch ! Bitch !

*(Ils finissent la chanson en riant et en se lançant dans les bras les uns des autres.)*

LOUISE — Ben, j'pensais que vous vous haissiez !
LOLA LEE, *en riant* — Ben on s'hait, aussi, hein, les girls ?
TOUT LE MONDE — Certainement !
LOLA LEE — C'est de même dans not'métier, Louise ! Tout le monde s'hait, tout le monde se bat, tout le monde s'arrache les cheveux, tout le monde s'en veut, tout le monde se fait des coups pendables, mais à fin du compte tout le monde finit toujours par se garocher dans les bras les uns des autres . . .
LOUISE — Pourquoi ?
LOLA LEE — Parce que tu peux pas te payer le luxe d'avoir des ennemis, dans c'te métier-là, Louise !

Pretend to like each other — until it's real —
Duchess — her return to Montreal — flopped

Tout le monde fait semblant de s'aimer . . . pis comme tout le monde joue . . . tout le monde finit par se croire . . .

MIMI-PINSON — Une cuillerée d'eau de javelle, une cuillerée de miel, une cuillerée d'eau de javelle, une cuillerée de miel . . .

LOUISE — Pis c'est là-dedans que tu vis . . .

LOLA LEE — C'est là-dedans que TU vas vivre, toé aussi, oublie-le pas, Louise . . .

LOUISE — J'voudrais m'en aller, Rita . . .

LOLA LEE — Ah ! non, on va rester jusqu'au boute ! on a interrompu le show, tout à l'heure, mais là on va regarder la suite . . .

LA DUCHESSE — Ah ! moé, j'chante pus, à soir . . . Maman est ben déprimée . . . Ma grande rentrée à Montréal a floppé, ça fait que j'vas attendre un moment plus propice pour remonter sur les planches . . .

LOLA LEE — Sur les madriers, tu veux dire . . . Avec ta pesanteur . . .

LA DUCHESSE — Que c'est que t'as à tant parler de mon poids, toé, à soir ? As-tu engraissé, dernièrement ?

MIMI-PINSON — Mesdames, mesdemoiselles, monsieur . . . La duchesse de Langeais ayant soudainement eu quelques étourdissements . . . le spectacle se continue quand même . . . Dans les cadres des découvertes de Mimi-Pinson, voici « Les quatre barbuses » dans une de leurs compositions : « Le fond de l'air est frais » . . .

MARCEL-GERARD — Encore ! Y nous l'ont chanté toute la semaine passée leur maudite chanson ! on le sait que c'est eux-autres qui vont gagner ! De toute façon, y'a rien qu'aux autres qui se sont présentées !

LOLA LEE — Ecoute ça, Louise, une autre histoire de trophée . . .

*(Butch et trois autres travestis sont montés en scène.)*

LOUISE — J'voudrais m'en aller, Rita ! S'il-vous plaît !
LOLA LEE — Non.

*Chanson : « Le fond de l'air est frais »*

LES 4 BARBUSES —

Quant un client passe la porte
La première chose que tu fais
Tu le r'gardes, tu le spottes,
Pour voir comment y'est fait
Si y'est cute, tu t'approches
Tu te mets la bouche en trou de suce
Si y'est beau, tu te garroches
Avant que les autres sautent dessus.
Si le fond de l'air est doux
Tu peux y aller un peu mou
Mais si le fond de l'air est frais
Faut que le client soit satisfait

Si la lune est accrochée
Dans le ciel transpérent
T'as pas besoin de chercher
Pour satisfaire ton client
Mais si le ciel est sans lune !
Pis qu'y fait frette dehors
Y faut que tu l'allumes
Pour qu'y soit fier de son sort

TOUT LE MONDE, *sauf Louise* —

Si le fond de l'air est doux
Tu peux y aller un peu mou
Mais si le fond de l'air est frais
Y faut que le client soit satisfait

LES 4 BARBUSES —

Quand ton client passe la porte
Le surlendemain soir
Faut que t'attendes qu'y te spotte

Avant d'aller le voir
Si y fait semblant qu'y te voit pas
Ou ben donc si y fait la moue
C'est que tu l'intéresses pas
Que t'as été trop dur ou trop mou !

TOUT LE MONDE —
Si le fond de l'air est doux
Tu peux y aller un peu mou
Mais si le fond de l'air est frais
Y faut que le client soit satisfait
Si ton client est doux
Tu peux y aller un peu mou
Mais si ton client est frais
Y faut que tu te fasses aller pour de vrai

*(Pendant la chanson, Butch est descendue de la scène et est venue flirter Louise.)*

LOUISE — Va t'en ! Décolle ! tu m'énarves !

*(Cow-Boy fait un signe à Mimi-Pinson.)*

MIMI-PINSON — Lola !

COW-BOY, *à Louise* — Faut pas croire tout c'qu'à dit, Louise . . .

CUIRETTE — Prends ça easy, un peu . . .

MIMI-PINSON — J'aurais quelques conseils à te demander . . . J'ai un nouveau costume que chus pas sûre de . . . Viendrais-tu le voir ?

LOLA LEE, *aux autres* — Faites ben attention à ma p'tite sœur, là, hein ?

LOUISE — J'veux y aller avec toé, Rita . . .

LOLA LEE — C'est ça, la vie d'artiste, Louise ! Imagine-toé c'que ça va être quand tu vas être vedette ! Y vont toutes être agripignés après toé . . . Tu vas avoir l'air d'une grappe de raisins . . . Toute la gang de p'tits morveux collés après toé comme des mouches à marde ! Quand tu vas avoir une cenne, y vont te la gruger, pis quand tu vas avoir une chum,

Transvestite advice to Louise – Prends ça easy

y vont se garrocher dessus comme un nuage de sauterelles ! Veux-tu absolument te retrouver tu-seule au milieu d'une gang de chenilles à poils qui te dévorent, Louise !

*(Long silence.)*

LOLA LEE — Bonne chance, chère . . .

*(Elle sort avec Mimi-Pinson.)*

LOUISE —

T'as pas l'air d'une dinde avec ton trophée, non ?
T'as pas l'air d'une dinde avec ton smock noir, non ?
T'aurais pas pu attendre à demain, non ?
Pour v'nir faire la folle au moins endimanchée ?
T'as pas l'air d'une dinde avec ta perruque, non ?
T'as pas l'air d'une dinde avec ta Lyla Jasmin, non ?
T'aurais pas pu attendre à demain, non ?
Pour v'nir faire la folle un peu moins déguisée ?

HOSANNA — On le sait pourquoi ta sœur t'a emmenée icitte, Louise . . .
CANDY-BABY — Laisse-toé pas faire . . .
MONA-LISA — Ça fait assez longtemps qu'à fait la loi on commence à avoir not'voyage d'elle . . .
SLIM — Laisse-toé pas faire . . .
CUIRETTE — Prends ça easy . . .
BUTCH — Prends ça easy . . .
LOUISE — Approche pas, toé !
BRIGITTE — Sors pas tes griffes pour rien, de même . . .
CUIRETTE — Prends ça easy . . .
BABALU — Ta sœur voulait juste t'écœurer, Louise.
BUTCH — Prends ça easy . . .
CANDY-BABY — Laisse-toé pas faire . . .
BABALU — Laisse-toé pas écœurer . . .
HOSANNA — Des fois, le monde sont pas c'qu'on pense, mais c'est pas si grave . . .
COW-BOY — Prends ça easy . . .
CUIRETTE — Faut juste les prendre pour c'qu'y sont . . .

Take things for what they are ( Pour vivre, y faut
( entrer dans la danse

MONA-LISA — Laisse-toé pas faire . . .

HOSANNA — Laisse-la pas faire, Louise, laisse-la pas faire . . . Aie . . . Pour vivre, y faut entrer dans la danse !

*Chanson : «Faut entrer dans la danse »*

LES GARS —

Les choses sont pas toujours c'qu'y paraissent, Louise.
Des fois, le monde sont pas c'qu'on pense
Mais faut les prendre juste pour c'qu'y sont, Louise.
Pour vivre, y faut entrer dans la danse.

LOUISE —

Pour vivre, y faut entrer dans la danse ?
Ben d'abord faites moé une place,
j'arrive.
Des fois le monde sont pas c'qu'on pense ?
Ben chus pas une waitress, les gars,
pis j'm'appelle pas Louise !
Mon smock noir, ma perruque blonde,
c'est juste un déguisement.
Y'a rien que mon trophée qui est vrai
J'm'appelle Lyla Jasmin, vous êtes
mes amants.
Ma sœur s'appelle Rita, pis c'est elle
qui est pas vraie !

TOUT LE MONDE —

Les choses sont pas toujours c'qu'y
paraissent, Lyla.
Des fois, le monde sont pas c'qu'on pense
mais faut les prendre juste pour c'qu'y sont,
Lyla.
Pour vivre y faut entrer dans la danse !

LOLA LEE — Pauv'toé ! Tu comprendras donc jamais que c'est fini, la belle époque, Mimi ! Ça poigne pus,

Transvestite — adopts style + doesn't change —

ces affaires-là, c'est fini ! Ta maudite robe, a va juste faire rire le monde !

MIMI-PINSON — Ben oui, mais que c'est que tu veux c'est mon style . . .

LOLA LEE — Ben change de style, taboire ! Prends moé, j'ai changé de style combien de fois depuis qu'on se connait toutes les deux . . .

MIMI-PINSON — Quand t'est travesti, Lola, t'adoptes un style, pis t'en démors pas !

LOLA LEE — Correct d'abord . . . Fâche-toé pas . . . Pis si tu veux pas la savoir, demande-moé la pas, mon opinion !

*(Elle se dirige vers sa sœur.)*

MIMI-PINSON, *à Marcel* — C'est la plus belle robe que j'me sus jamais faite !

LOLA LEE — Pis, comment t'es trouves, mes amis, Louise ?

LOUISE — J'les trouve ben corrects !

LOLA LEE — Quoi !

LOUISE — Ben oui ! Y m'ont faite peur, un p'tit peu, au commencement, mais j'vas m'habituer ! J'ai juste à apprendre à être bitch, moé aussi Rita !

LOLA, *à Cow-Boy et Cuirette* — Que c'est que vous y'avez dit pendant que j'étais pas là, vous autres ?

COW-BOY ET CUIRETTE — Rien . . . Rien . . .

LOUISE — Y m'ont rien dit, Rita ? si tu voulais m'écœurer pis me faire peur, t'aurais dû juste me faire entrer pis sortir d'icitte . . . On est resté trop longtemps, Rita . . . J'ai eu le temps de me rendre compte que c'est du monde comme les autres eux autres aussi . . .

CUIRETTE — Quand est-ce qu'on se r'voit, bebé ?

LOUISE — Anytime, bebé !

*(Lola la prend par un bras.)*

LOLA — T'en n'as pas assez, hein ? Ça t'en prend plus pour te décourager, hein ? Ben j'ai d'autre chose à te montrer, si tu veux savoir, Lyla Jasmin ! Marcel, Duchesse, on s'en va chez Betty Bird !

MARCEL-GERARD — Lola ! Tu charries ! T'as pas envie d'emmener ta sœur chez Betty !

LOLA LEE — Pourquoi pas ! J'y ai dit que j'y ferais faire le tour de *tous* mes amis !

MIMI-PINSON — Lola ! Tu sais que Betty t'en veut à mort depuis que t'es partie . . .

LOLA LEE — Ben oui, j'le sais . . . Pis chus pas retournée depuis . . . depuis l'histoire de Johnny.

LOUISE — Johnny ?

LOLA LEE — Envoye, marche, la star, passe devant, j'veux pas te perdre ! On s'en va chez Betty Bird !

LOUISE — C'est quoi, ça Betty-Bird ?

LOLA LEE — Une grande amie ! Une grande chum ! Une sœur, Louise, une sœur !

*(Elles sortent.)*

DUCHESSE — Va-t-en avec eux autres, Marcel, moé, j'vas aller me changer . . .

MARCEL-GERARD — Ça va faire un papier du tonnerre . . .

DUCHESSE — Si tu dis un seul mot de c'qu'y se passe icitte à soir, dans ton papier de toilette, toé, j't'étouffe avec ta perruque !

*(Marcel sort.)*

*(La duchesse se dirige vers sa loge.)*

BUTCH — Ouan, ben pour une soirée manquée . . .
SLIM — C'en est toute une . . .
BABALU — Bon, ben, que c'est qu'on fait ? On danses-tu ?
COW-BOY — Viens-tu danser, Brigitte ?
BRIGITTE — Non.
CUIRETTE — Viens-tu danser, Candy ?
CANDY-BABY — Non.
MARINE — Viens-tu danser, Hosanna ?
HOSANNA — Non.

Duchess - sings of return - suspected that no one will meet plane - but was hurt when they didn't come

BABALU — Viens-tu danser, Mimi ?
MIMI-PINSON — Non.
SLIM — Viens-tu danser, Mona-Lisa ?
MONA-LISA — Non.
BUTCH — Aie, duchesse, viens-tu danser ? Viens-tu danser, Duchesse ?
*(Noir.)*

## Scène 5

*(La loge de la duchesse. La duchesse, en déshabillé, est assise à sa coiffeuse et elle peigne une perruque blonde.)*

*Chanson : « Les lamentations de la duchesse »*

LA DUCHESSE —

En passant au-dessus de Montréal
Dans mon grand oiseau d'acier
J'ai eu envie de hurler
A toutes mes amies du Pal's :

Préparez-vous, les filles, la duchesse est r'venue !
Mettez toutes vos fourrures, sortez vot'jewellerie !
Du haut des airs la Duchesse de Langeais vous crie :
Si vous avez rien à vous mettre, vous viendrez tout-nues !
Préparez-vous, les filles, la duchesse est r'venue
Avec toutes ses grimaces, avec toutes ses singeries
Du haut des airs la duchesse de Langeais vous crie :
J'viens quêter mon retour au bercail, parce que chus [tout-nue !

Quand l'avion s'est posé à Dorval
Pis que personne m'attendait
Même si je m'y attendais
Ça m'a faite quand même ben mal
Réjouissez-vous, les filles, la duchesse est r'venue !

appeals to them to join in celebration — fun
But insults — she's tough, can take their insults —
will die on her feet —

Sortez vos farces plates, pointez vos carabines
Du fond de sa loge, au milieu de ses crinolines
La duchesse ronge son frein comme une toute-nue !
Réjouissez-vous, les filles, la duchesse est r'venue !
Danser la danse, à claquettes, pis jouer d'la ruine-babine
Pour essayer d'faire sourire vos visages en ruines
Pour pas mourir tu-seule ! Pour pas mourir tout-nue !
Réjouissez-vous, les filles, la duchesse est r'venue
Moquez-vous de son gros cul, moquez-vous de son gras
[ventre
Mais faites-vous en pas, est capable d'en prendre
La duchesse de Langeais, c'est pas la première venue !
Réjouissez-vous, les filles, la duchesse est r'venue !
Frappez-la, vargez dessus, c'est tout c'qu'à mérite
A va se traîner à terre, mais à la dernière limite
A va mourir deboute, si est pour mourir tout-nue !
Réjouissez-vous, les filles, réjouissez-vous !
La duchesse de Langeais est dans le trou !

10 transvestites
10 prostitutes

# ACTE II

## Scène I

*La loge de la duchesse de Langeais. Celle-ci a fini de s'habiller. Elle sort lentement de sa loge, puis du « Meat Rack ». Les dix prostituées entrent en scène.*

*Chanson : « Connaissez-vous Betty bird ? »*

PURPLE —
Connaissez-vous Betty Bird ?
C'est un oiseau pas ordinaire
A s'sacre de c'qu'à peut avoir l'air
D'abord qu'ça y rapporte . . .

LES FILLES —
Des birds, des birds, des birds, des birds . . .

PURPLE —
Pour elle, un bird c'est un vingt
Quand tu viens icitte tiens-toé ben
Y s'envolent pis c'est pour toujours
Mais r'garde c'que t'as en r'tour . . .

LES FILLES —
Des birds, des birds, des birds, des birds . . .

PURPLE —
Betty Bird, c'est l'Orient
Ses soies, ses perles, pis même l'encens

Betty Bird, c'est la marijuana
Dans des p'tites chambres exiprès pour ça
Ses filles sont toutes spécialisées
Y'en a des raides pis des frisées
Y'en a des blondes et pis des brunes
Qui t'fournissent même le clair de lune !
Quand tu t'en vas, au p'tit matin
T'es t'au coton mais t'es ben
Tu te retournes, t'envoyes la main . . .
Mais la lumière est éteint !

LES DIX FILLES —
Connaissez-vous Betty Bird
C'est un oiseau pas ordinaire
A s'sacre de s'qu'à peut avoir l'air
D'abord qu'ça y rapporte . . .

BETTY BIRD *parlé* — C'est deux birds, bebé, pis si t'es pas content . . . dehors !
LES DIX FILLES — Des birds, des birds, des birds, des birds . . .
BETTY BIRD — Purple . . . Purple, j'te parle . . .
PURPLE — Ben oui, Betty, ben oui, j't'ai entendue . . . Que c'est qu'y'a, encore . . .
BETTY BIRD — Les clients, Purple, c'est une heure dans le top, icitte, y m'semble que j'te l'ai déjà dit . . .
PURPLE — Si j'veux faire de l'overtime, c'est de mes affaires, Betty !
VIOLET — De l'overtime ! A les garde plus longtemps, elle ? J'te dis qu'y faut qu'a l'aime ça !
PURPLE — Dans la vie, Violet, y faut que tu te dises une chose . . .
BETTY — Purple, attention à c'que tu vas dire . . .
PURPLE — Aie pas peur, Betty, j'la mangerai pas , ta p'tite dernière . . . c'est pas mon genre ! Y'a UNE chose qui est importante, dans la vie, Violet-de-mon-cœur, c'est d'aimer son métier . . .
TOPAZE — L'entendez-vous . . .

Purple – the old timer who has liked her job, but resents Betty's authority
violet – the young newcomer –

SANDY — Si c'est pas beau . . .

SCARLET — Le sermon sur la montagne, pis toute le kit ! T'as craché dessus toute la vie, ton métier, Purple, viens pas faire l'ingénue icitte à soir !

PURPLE — C'est pas vrai que j'ai craché dessus toute ma vie . . . Je l'ai aimé, mon métier, si tu veux savoir, Scarlet . . .

SCARLET — Ouan, mais astheur . . .

PURPLE, *en regardant Betty* — Astheur, c'est pas mon métier que j'hais . . . Ah ! pis on peut jamais parler sérieusement avec vous autres . . .

VIOLET — Tu peux me parler sérieusement, moé, j't'écoute . . .

BETTY BIRD — C'est justement, tu devrais pas l'écouter radoter, Violet . . . C'est rien qu'une faiseuse d'histoires . . . Plus tu te tiendras loin d'elle, mon trésor, mieux ça vaudra pour toé . . .

BUTCH, *à Purple* — Tu te les attires, les bosses, Purple . . .

PURPLE — J'voudrais ben voir ça . . . Qu'a l'essaye donc de m'en faire une, bosse, pour voir . . .

VIOLET — Comme ça, si ça nous tente, on peut les garder plus longtemps, les clients !

SCARLET — Ça paraît que ça fait pas longtemps que t'es t'icitte, toé . . . Tu connais pas encore nos gamiques . . .

VIOLET — Vos quoi ?

RAINBOW — Nos gamiques ! Quand t'as un client qui t'écœures, tu l'expédies en vingt minutes, pis si y a un beau gars qui suit, après, tu le gardes plus longtemps . . .

TOPAZE — Ouan, mais les beaux gars sont rares . . .

CREAM — C'est ça, décourage-la tu-suite en commençant !

ROSE — Ben moé, j'trouve qu'est aussi ben de savoir tu-suite c'qui l'attend !

BUTCH — Un vrai métier de . . .

BETTY BIRD — Butch ! J't'ai déjà dit de watcher ton langage ! C'est un bordel, icitte, c'est pas un garage . . .

AVOCADO — C'est tout comme . . . ça rentre, ça sort . . .

BETTY BIRD — On est le seul, le seul bordel officiel de la ville de Montréal, m'entendez-vous ? Betty Bird est la seule tenancière que personne n'a jamais osé toucher !

BUTCH — La v'la qui recommence avec son commercial, elle !

PURPLE — Si y'osent pas te toucher, en haut lieu, Betty, c'est parce que tu les as toutes passés dans ta jeunesse . . . Y'ont peur du scandale !

BETTY BIRD, *pour elle* — Y faut dire que si j'les publiais, mes mémoires . . . *(Plus fort.)* Pis j'veux que mes filles ayent de la classe !

AVOCADO — Ben oui, ben oui, on n'a d'la classe quand y'a du monde, mais quand on est tu seules, on se tanne, des fois . . .

BETTY BIRD — Y faut pas, Avocado, au contraire ! Y faut garder sa dignité tout le temps, à toute heure du jour et de la nuit . . . Comme ça, on est sûr de jamais se tromper ! *(En regardant Purple.)* Y faut chasser toute vulgarité et ne laisser ressortir que c'qu'on a de plus beau . . .

PURPLE — On n'est pas des sœurs cloîtrées, simonaque ! Pis à part de ça, c'que j'ai de plus beau, moé, c'est vulgaire . . . Que c'est que tu veux, c'est pas de ma faute ! Chus venue au monde nature, pis j'vas mourir nature . . .

BETTY BIRD — Attention à toé, tu pourrais mourir prématurément, aussi ! Hon . . . ça me fait penser . . . Sandy !

SANDY — Bon, ça y'est, c'est mon tour . . . Tu me trouves vulgaire, moé aussi, Birdie ?

BETTY BIRD — J'vas-tu être encore obligée de te le montrer comment te servir de ton fouet ?

SANDY — Comment ça ?

BETTY BIRD — A demande ! Y faut pas que tu laisses de traces, Sandy, quand est-ce que tu vas comprendre ça !

SANDY — J'en laisse pas, non plus . . .

BETTY BIRD — Aie, chus pas aveugle, trésor . . . Quand monsieur Emile est parti, après-midi . . .

SANDY — Ah ! ben, lui c'est pas pareil ! C'est lui qui me le demande d'y laisser des traces, Betty ! Pis y me donne de l'argent de plus . . .

BETTY — Ben la prochaine fois, tu la refuseras, son argent de plus, c'est toute ! Les tarifs sont fixes, icitte, ma fille, pis y faut que le rendement lui aussi soit fixe ! Vous êtes pas supposé d'accepter de pourboires ! J'ai pas envie d'hériter d'un cadavre, un de ces jours, moé !

SANDY — J'fais attention . . .

BETTY — Y'a pas de ni çi, ni ça, mets la pédale douce sur le fouet, Sandy !

ROSE — Si tu veux pas de cadavre, tu devrais dire à Scarlet qu'a fasse attention avec son Armand, Betty . . . Y'approche quatre-vingts, c't'homme-là, pis y va finir par y crever dans les bras . . .

SCARLET — Aie pas peur pour lui, Rose, y'est encore capable d'en prendre . . .

BETTY BIRD — Oui, mais fais attention pareil, hein, ma belle Scarlet . . . Pas trop d'émotions fortes . . .

PURPLE — Scarlet, donner des émotions fortes à quelqu'un ? Arrête-moé pas le sang ! Est un peu moins sexy que la femme à Mickey Mouse !

SCARLET, *en riant* — Toé t'es chanceuse d'être une chum, hein, Purple, parce que sans ça, ça ferait longtemps que j't'aurais étempé ma main su'a'yeule !

BETTY BIRD — Scarlet ! Que j't'aurais souffletée !

*(Toutes les filles éclatent de rire.)*

SCARLET, *se moquant* — Que j't'aurais souffletée, mon bebé !

PURPLE — Envoye donc, essoufflette-moé donc, voir !

BETTY BIRD — Girls ! Girls ! Arrêtez de crier de même . . . Les pompiers vont v'nir !

TOPAZE — Youppi ! ! !

BETTY BIRD — Silence, un peu, là ! Bon . . . On s'entend pus respirer, ici-dedans !

*(Silence.)*

SANDY — Ouan, ben m'est avis que ça va être tranquille c'te-nuitte !

VIOLET — Ben, j'en ai déjà eu deux, moé . . .

SCARLET — Hon . . . la chanceuse ! Si j'te disais que j'en ai passé six, moé, hein ? Pis six, ma p'tite fille, c't'une ben p'tite soirée . . .

PURPLE — Coute donc, Violet, j'voulais te demander quequ'chose . . . Es-tu majeure, toé ?

BETTY BIRD — Purple !

VIOLET — Pourquoi, donc ?

PURPLE — Pour rien, pour rien, j'voulais juste savoir . . .

ROSE — Dites-moé pas qu'on va être obligées de dormir cette nuitte ! Moé, quand j'dors la nuitte, ça me débalance toute !

SCARLET — Aie, Violet . . . Dans mes bonnes soirées, là, moé, j'en passe . . . wof ! *(Elle compte sur ses doigts.)*

BETTY BIRD — Arrêtez donc, vous allez l'affaroucher, encore !

PURPLE — L'effaroucher ! Bonyeu !

*(Candy-Baby entre en scène en courant. Il est très essoufflé.)*

RAINBOW — Tiens, en parlant d'affarouchée . . .

CANDY-BABY — Excusez-moé, chus toute essoufflée. . . J'ai couru comme un bon . . . euh, comme une bonne . . .

BETTY BIRD — Y'est à peu près temps que t'arrives, toé . . .

Did he have a client at Betty's?

CANDY BABY — Y'est-tu venu, lui ?

BETTY BIRD — Non, une chance . . . Parce qu'y'aurait attendu longtemps, hein ? T'étais supposée de rentrer à deux heures, Candy . . .

CANDY-BABY — Ben oui, mais . . . Attends que j'te conte ça, tu vas comprendre . . . J't'avais dit qu'on avait un surprise-party au Meat Rack hein ? Ben devine qui c'était, la surprise ! La duchesse de Langeais soi-même en personne !

BETTY BIRD — Le soleil du Mexique l'a pas tuée, celle-là . . .

VIOLET — Vous connaissez une duchesse !

PURPLE — Mêle-toé pas de ça, Violet, j'pense que c'est pas le temps . . . Viens-t-en . . .

CANDY — Pis c'est pas toute . . . Devine qui c'est qui a retonti vers les trois heures . . . Lola Lee, ma chérie, Lola Lee, avec sa sœur qui vient de gagner dans un concours de chant . . . Pis tiens-toé ben, bebé . . . Y s'en viennent toutes icitte ! Toute la gang ! Lola, sa sœur, Marcel-Gérard, t'sais le journaliste que t'aimes tant, là, pis la duchesse ! Ça fait que j'ai couru t'avertir . . .

PURPLE — Que c'est que tu vas faire, Betty ?

BETTY BIRD — Rien. Rien pantoute . . . J'vas les laisser v'nir . . . L'ancienne gang va être enfin réunie de nouveau . . . Ça peut être pas mal drôle . . . hein, Purple ?

CANDY-BABY — Ah ! moé, chus t'assez énervée, j'tiens pus en place . . . Si y v'nait, lui, aussi, ça me calmerait les nerfs . . .

VIOLET — J'pense que j'comprendrai jamais rien, moé, icitte . . . Y se passe toujours tu-sortes d'affaires . . .

CREAM — On te demande pas de comprendre, la bright ! T'es pas icitte pour te servir de ta tête !

VIOLET — Mais y'a une chose que j'me demande encore, par exemple . . .

AVOCADO — Rien qu'une ?

Names of colors, flowers — "sell" (+ help distinguish sep. person from persona) (to present id)

CANDY-BABY — Ah ! J'ai assez hâte qu'y'arrivent, eux-autres !

VIOLET — Pourquoi qu'on porte toutes des noms de couleurs, pis des noms de fleurs . . . Violet, Scarlet, Purple . . .

BUTCH — As-tu déjà vu une fleur qui s'appelle Butch, toé ?

TOPAZE — Tu sors directement d'un conte de fées, toé, ma parole ! Tu sauras, ma p'tite fille, que les couleurs, pis les fleurs, ça se vend mieux que des Simone, pis des Linda !

CANDY-BABY — Avez-vous entendu ? C'est la porte d'en haut !

PURPLE — Pis y faut que tu te dises une chose, aussi : quand le gars passe la porte, là, t'es t'aussi ben de t'appeler Violet plutôt que Jeannine, ça fait moins mal . . .

RAINBOW — Pis quand la gang d'américains arrive, là, l'été, tu te sens assez marchandise que t'aurais honte de continuer à t'appeler Ginette . . .

AVOCADO — Ou ben donc Claudette.

ROSE — Ou ben donc Mariette.

BUTCH — Ou ben donc Pierrette . . .

BETTY BIRD — Hon, ça me fait penser . . . Pendant qu'y'a pas de monde, là, vous devriez en profiter pour pratiquer votre p'tit numéro pour les Américains, les filles . . .

SANDY — Ah ! pas encore ces p'tites stepettes 1930-là, moé chus tannée !

*(Lola, Louise et Marcel paraissent dans la porte.)*

PURPLE, *qui ne les voit pas* — Betty a raison, les filles, y faut que la p'tite l'apprenne comme faut . . . A le sait pas encore assez . . . Come on, girls, un p'tit coup de collier . . . And-a-one, and-a-two, and-a-three . . .

*Chanson : « Hello, Baby »*

BETTY BIRD, LES FILLES —

Hello, Baby, how are you ?
Do you want to have some fun ?
Do you want to know my name ?
Well, Baby, my name is The Name of the Game !

My name is . . . Purple, Scarlet, Rainbow
My name is . . . Cream, Avocado, Sandy
My name is . . . Topaze, Rosy, Butch and Violet !

And I play . . . baseball, football, tennis
Basketball, cricket, hockey,
Handball, rugby, volleyball
. . . and Violin !

Hello, Baby, how are you ?
Do you want to have some fun ?
Do you want to know my name ?
Well, Baby, my name is The Name of the Game !

LOLA LEE — Hi ! girls . . . On rentre toujours icitte comme dans un moulin !
BUTCH — Ç'en est un, aussi . . . J'te dis qu'on en moud, des busy-oiseaux-oiseaux . . .
BETTY BIRD — Butch, dans ta chambre ! Dans ta cham-be !
BUTCH — Ben voyons donc, chus pas un enfant . . .
BETTY BIRD, *à Lola Lee* — Quelle belle surprise ! Comment ça va, ma belle Marigold . . . Ah ! c'est vrai, t'as changé de nom . . . Ça fait tellement longtemps que t'es pas v'nue nous voir . . . Tu nous oublies, Lola, tu nous oublies . . . *(Apercevant Marcel.)* Tiens, t'as eu peur de nous emmener des vrais hommes ? Salut, blondie ! Pis ça, c'est qui c'te belle enfant-là ? Une nouvelle recrue ?

LOLA LEE — C'est ma sœur Louise . . . J'te présente Betty Bird, Louise . . .
LOUISE — Bonjour . . . madame Bird.
SANDY — Bonjour ! A quatre heures du matin ! Elle aussi à travaille de nuitte !
LOLA LEE — A l'a gagné le trophée Lucille Dumont, par chez-nous, imagine-toé donc . . .
VIOLET — Hein ! Un trophée ! Monte donc, voir . . .
LOLA LEE — Ça fait que j'viens y montrer ousque j'ai commencé ma carrière, parce qu'a veut d'venir vedette . . . comme moé !
LOUISE, *à Marcel* — C'est quoi icitte ? On est-tu dans les coulisses d'un théâtre ?
*(Marcel éclate de rire.)*
AVOCADO — Encore une nouvelle, les filles . . . On a déjà pas assez d'ouvrage . . .
RAINBOW — Moé, j'pense que j'vas me mettre en grève . . .
SCARLET — A va faire ça avec un trophée, elle ? Première fois de ma vie que j'entends parler d'une putain qui s'appelle Oscar, moé !
LOUISE — Marcel ! On est dans un bordel !
MARCEL-GERARD — Dis-moé donc !
PURPLE, *à Lola* — Salut, Lola . . .
LOLA, *après quelques secondes d'hésitation* — Purple ! J'te r'gardais pratiquer, t'a l'heure, pis j'me disais : « Pourtant, j'connais ça, c'te p'tit darrière-là . . . »
LOUISE — Pis Rita a déjà travaillé icitte !
PURPLE — J'ai-tu changé tant que ça ?
LOLA — C'est peut-être parce que j't'avais pas regardée comme faut . . .
PURPLE — Non, c'est correct . . . Essaye pas de te trouver des raisons . . . c'est vrai que je vieillis, moé aussi . . . J'ai d'la misère à me r'connaître moé-même quand j'passe devant un miroir . . . Des fois, j'passe tout dret sans même me dire bonjour . . .
BUTCH, *à Louise* — Re-salut, bebé !

LOUISE — Est encore là, elle . . . sacré-moé donc patience !
MARCEL-GERARD — T'es pas ben fine, avec not'p'tite Butch . . .
LOUISE — Ben, c'est fatiquant de se faire appeler bebé par une autre fille . . . pis c'est pas le temps, là !
LOLA LEE — Tu dis rien, Betty ?
BETTY BIRD — J'attends que tu daignes m'adresser la parole, ma chère ! C'est pas souvent que la grande Lola Lee s'abaisse à visiter ses anciennes chums . . . Pis surtout, dis-moé pas que tu viens jamais parce que t'es trop occupée, Lola . . . Epargne-toé une menterie ! Chus t'habituée de pus jamais revoir les filles qui sortent d'icitte . . .
CREAM — Quand y sortent . . .
LOUISE, *à Marcel* — C'est-tu vrai que ma sœur a commencé icitte ?
MARCEL-GERARD — Certainement !
LOUISE — C'est effrayant . . . Est-tait-tu juste danseuse, ou ben donc si . . .
LOLA LEE — Ou ben donc si, Louise, ou ben donc si !
MARCEL-GERARD — A t'a jamais conté qu'a chantait « Le ver reluisant » en faisant un strip-tease ? A la fin, là, y y restait juste trois marguerites . . . su'a tête !
BETTY BIRD — A s'appelait Marigolds, Louise, pis c'était la plus belle fille d'la maison . . . Les clients criaient toutes après elle . . . Tout le monde voulait Marigold . . .
TOPAZE — Ça devait être gai pour les autres !
LOLA LEE — J'aimais ça, par boute, icitte, Betty . . .
LOUISE — Rita !
BETTY BIRD — C'était la fille la plus propre pis la plus à sa place que j'avais jamais eue ! Toujours ben peignée, toujours ben maquillée . . . Une tenue impeccable . . .

PURPLE — Moé, j'ai commencé en même temps qu'elle... C'est Johnny qui... qui nous avait découvertes toutes les deux... Elle par chez eux, moé par chez nous... Elle, a voulait d'venir danseuse de cabaret, pis a l'a pris les moyens...

BETTY BIRD — Oui, pour les prendre, ça, a les a pris !

PURPLE — Moé, j'voulais juste pas finir dans'rue... Les clients, y v'naient plus pour la voir danser, elle, que pour monter avec toutes nus-autres ensemble ! Toutes les semaines, a préparait un nouveau numéro... Des fois c'tait un numéro sérieux, d'autres fois un numéro drôle... Pis le samedi soir, vers minuit, on réunissait tout le monde icitte, dans le salon rose, pis Marigold faisait son show... Moé, celui que j'aimais le mieux, là, c'tait un numéro de danse en claquettes... Maudit qu'est-tait bonne ! J'essaye de le faire, des fois, mais... Aie, Marigold, tu veux-tu nous le faire ton numéro de danse en claquettes ? J'aimerais ça. Y'a des affaires que j'me rappelle pus !

*(Pendant que Purple parlait, l'éclairage a changé, une prostituée est venue porter les souliers à claquettes à Lola.)*

*Chanson :* « *Quand les claquettes claquent* ».

LOLA LEE —

Quand les claquettes claquent
Quand claquent les claquettes
Claude clame qu'il est claqué
Et Claire le cloue de claques

Quand les claquettes claquent
Quand claquent les caquettes
Claire racle et se déclenche
Et Claude s'incline pour l'acclamer

Quand les claquettes claquent
Quand claquent les claquettes
Le clavier de Claire clapote
Et les cloches de Claude cliquettent

Quand les claquettes claquent
Quand claquent les claquettes
Les clients de Claire cliquent
Et Claude clopine comme un clochard !

Quand les claquettes claquent
Quand claquent les claquettes
Claire se cloître chez les clarisses
Et le clairon de Claude s'acclimate.

Quand les claquettes claquent
Quand claquent les claquettes
La clavicule de Claude se débloque
Et Claire s'écroule comme un cloporte.

Quand les claquettes claquent
Quand claquent les claquettes
Le clairon de Claude reclique
Et la classe de Claire se recycle.

Quand les claquettes claquent
Quand claquent les claquettes
Le clan de Claude le réclame
Et Claire déclame du Claudel !

PURPLE — On n'a pus de filles qui font des bons numéros de même . . .

VIOLET — C'est ben cute, son affaire . . .

BETTY BIRD — Une Marigold, ça se remplace pas de même, les filles . . .

SANDY — J'trouve pas ça si bon, moé . . . C'est aussi ancien que not'soft shoe !

LOUISE — Je l'avais souvent vu faire c'te numéro-là, mais j'savais pas qu'a l'avait faite icitte avant...
LOLA LEE — C'est pourtant icitte que le numéro a vu de jour, ma p'tite sœur... C'est icitte que j'me sus pratiquée tout en me faisant des connections... Y faut prendre les moyens pour dev'nir Star, Lyla !
BUTCH, *à Marcel* — Ouan, mais y'en a qui prennent les moyens, pis qui arrivent jamais !
MARCEL-GERARD — Toé, va donc faire ta smatte plus loin, Tom-Boy !
BETTY BIRD — Pis quand une maison comme icitte perd sa Marigold...
LOLA LEE — Betty, j'ai un service à te demander...
BETTY BIRD — Ah ! c'est donc ça... Y m'semblait, aussi, que ça se pouvait pas que tu viennes juste comme ça, pour le plaisir de la chose...
LOLA LEE — J'peux-tu te parler dans le particulier...
BETTY BIRD — J'ai pas tellement le temps, Lola, y pourrait arriver des clients...
SCARLET — Des clients ? On n'a pas vu un depuis « Rue des pignons », à neuf heures et demie...
LOLA LEE — Purple peut s'en occuper... hein, Purple ?
PURPLE — Purple a peut toujours s'en occuper ! Est toujours là, Purple, quand on a un service à y demander... Mais watch-out quand a demande quequ'chose, par exemple...
CREAM — Tiens, v'là Aurore l'enfant martyre qui repart !
BETTY BIRD — On va toujours ben voir s'que tu veux... Viens par icitte...

*(Betty et Lola se retirent dans un coin de la scène.)*

CANDY-BABY — Bon, ben si y vient pas pantoute, j'vas aller me coucher, moé ! Chus tannée d'attendre !
MARCEL-GERARD — Ça fait longtemps que t'aurais dû aller te coucher, trésor !
CANDY-BABY — Ça veut dire quoi, ça !

PURPLE — Commencez pas, vous autres !

CANDY-BABY — D'abord, y'est pas supposé d'être icitte, lui. Ou devrais-je dire *elle ?* C'est rien que les clients qui sont supposés de rentrer icitte ! Ou ben donc le staf ! A moins que tu viennes pour moé, mon amour . . .

MARCEL-GERARD — Ah ! arrête ça, tu vas me donner mal au cœur . . .

VIOLET, *à Louise* — Aie, tu dois être contente sur un temps rare, hein ? J'aimerais ça, moé, gagner un trophée de même . . . Y'est-tu pésant ? *(Elle prend le trophée.)* Aie, oui . . . T'es pas fatiguée de le porter ?

LOUISE, *reprenant son trophée* — Tu travailles icitte, toé aussi ?

VIOLET — Ben oui ! J'm'appelle Violet ! C't'original, hein ? Pis c'est pour ça que j'ai des tites fleurs sus ma robe . . .

CANDY-BABY — Fais donc pas ton indépendant, Marcel-Gérard ! Y'a personne qui veut jamais de toé de toute façon !

MARCEL-GERARD — Ah ! ben là, j'te demande ben pardon, par exemple . . .

VIOLET — Ça te surprend ? C'est pas si pire que ça, t'sais . . .

BUTCH, *à Louise* — Re-re-salut, bebé !

LOUISE — En veux-tu un coup de trophée, hein, en veux-tu un ?

LOLA LEE — J'veux qu'a s'en aille ! J'me sacre si a l'a du talent ou non, mais j'veux pas qu'a vienne m'imiter icitte ! On va avoir l'air de deux maudites folles !

BETTY BIRD — C'est pas de ça que t'as peur, Marigold . . . Avoue donc . . . T'as juste peur qu'a prenne ta place, hein ?

LOLA LEE — Oui, t'as raison. Chus t'en haut d'la côte, Betty, chus t'au top de ma carrière, pis j'veux rester tu-seule ! J'en veux pas une deuxième pareille comme moé qui me singe, pis qui réussit en me singeant !

BETTY BIRD — Pis que c'est que j'viens faire là-dedans, moé ?

VIOLET — Tu t'arranges juste pour penser à d'autre chose . . . Pis on a des gamiques, a part de ça . . .

LOUISE — Des quoi ?

VIOLET — Des gamiques ! T'es donc ignorante . . . Quand t'as un gars pas beau qui t'écœure, là, ben tu . . . tu fais ça plus vite, pis si y'a un beau gars qui vient, après, tu le gardes plus longtemps . . . c'est toute !

TOPAZE, *qui a entendu* — J'ai mon ultime voyage !

PURPLE — Candy ! Arrête de tourner en rond comme ça, tu m'étourdis ! Va donc te coucher, y viendra pas, ton gars . . .

CANDY — J'veux savoir comment ça va finir, tout ça . . .

PURPLE — J'te le conterai demain . . .

CANDY-BABY — Ça s'ra pas pareil !

MARCEL-GERARD — Tu veux toute voir de visu ?

CANDY-BABY — Oui, mon bizou . . . Ça te dérange !

MARCEL-GERARD — J'te dis qu'y faut ben s'appeler Candy-Baby pour pas avoir l'air d'un bebé ni d'un bonbon comme toé ! Candy Baby ! Pourquoi pas Blueberry Pie, tant qu'a y'être ! T'as l'air d'un beluet dans ta robe . . .

BETTY BIRD — Ça fait que tu veux que j'y fasse peur . . . Tu penses qu'a va tomber dans le panneau comme ça, toé ? A l'a pas l'air d'une épaisse, ta sœur, Lola, a se laissera pas faire de même !

CANDY-BABY — Aie, moé j'commence à être pas mal tannée de me faire insulter par c't'espèce de pan-cake jaune-orange-là ! C'est laid comme un derrière de singe gratté à deux mains, pis sa fait la p'tite cute !

VIOLET, *à Louise* — J'aime ça, les chicanes, moé... Viens-tu écouter ?

MARCEL-GERARD — Chus peut-être pas le gars le plus gorgeous de Montréal, bebé-bleu, mais j'ai du genre ! On peut pas en dire autant de toé ! Chus pas obligé de me déguiser en raisin pour poigner, moé !

TOPAZE — C'est ça, allez-y, poignez-vous aux cheveux, les filles... Moé y me tannent assez, c'est ben simple !

CREAM — J'gage deux cennes pour la p'tite affaire blonde...

ROSE — J'en mets cinq sur le grand pop-sikcle bleu...

MARCEL-GERARD — Des gars, j'en ai comme ça, tiens, à la pelle...

RAINBOW — Au char !

SCARLET — A la tonne !

MARCEL-GERARD — Pis j'les laisse tomber, comme ça, quand j'veux...

CANDY BABY — Y doivent pas se faire ben mal, parce qu'y tombent pas de ben ben haut...

MARCEL-GERARD — Encore, la semaine passée... J'étais tanné de mon grand fanal allemand... Bon ben sais-tu c'que j'ai faite ? J'ai pris mes bagages, pis bonsoir la compagnie !

CANDY-BABY — How original !

LOUISE — T'es drôle quand tu te fâches, Marcel !

SANDY — Y'a dû aller se suicider direct !

BUTCH — Ou ben donc y'a été allumer un lampion à Saint-Jude en remerciements de services rendus !

MARCEL-GERARD — Pis de toute façon, j'ai toujours été contre les mariages entre personnes du même sexe, moé !

*Chanson : « Salut ! »*

MARCEL-GERARD —

J'ai pris ma brosse à dents

Ma clef et pis mes gants
Mon manteau en afghan
Mon chat angora blanc
J'ai pris une perruque noire
La tienne sans le savoir
J'ai pris tous mes mouchoirs
J'ai cassé quequ'miroirs . . .

Salut ! Attends-moé pus !
Attends-moé pus, salut !
J'm'en vas, je déménage
Je quitte ta maudite cage !
Salut ! Attends-moé pus !
Attends moé pus, Salut !
Mais n'aie pas de remords
Y fait plus chaud dehors !
Salut ! Attends-moé pus !
Attends-moé pus, salut !
Ton air est trop toxique !
J'sacre le camp au Mexique !
Salut ! Attends-moé pus !
Attends-moé pus, salut !
T'es vraiment pas un soleil
Mais t'es ben fin pareil !
Salut !

Comme j'le trouvais ben cute
Avec son grand zipper
J't'ai volé mon jump-suit
Y'est rien qu'à moé astheur !
J'ai pris ma grosse valise
J'ai toute fourré dedans
Le chien a faite une crise
Mais j'y ai dit en partant :

MARCEL-GERARD ET LOUISE —

Salut ! Attends-moé pus !
Attends-moé pus, salut !

J'm'en vas, je déménage
Je quitte ta maudite cage !
Salut ! Attends-moé pus !
Attends-moé pus, salut !
Mais n'aie pas de remords
Y fait plus chaud dehors !
Salut ! Attends-moé pus !
Attends-moé pus, salut !
Ton air est trop toxique
J'sacre le camp au Mexique !
Salut ! Attends-moé pus !
Attends-moé pus, salut !
T'es vraiment pas un soleil
Mais t'es ben fin pareil !

Oublie-moé mon amour
Ne fais pas comme ton chien
Ne jappe pas nuit et jour
Ça servirait à rien !
Salut ! Salut ! Salut !

SCARLET, *à Louise* — Aie, Oscar, sais-tu que tu chantes pas pire pantoute !

LOUISE — Ben, c'est pour ça que j'ai gagné !

VIOLET — T'as l'air d'avoir une voix pas mal puissante . . .

LOUISE — Certain ! J'chante ben plus fort que ma sœur . . .

MARCEL-GERARD — Pis moé ?

CREAM — Quoi, toé ? As-tu chanté ?

LOLA LEE — Louise ! Tu vas pouvoir rester à Montréal . . .

LOUISE — J'ai jamais eu l'idée de partir, non plus !

LOLA LEE — Betty a quequ'chose à te proposer . . . *(Betty se dirige vers Louise, puis s'arrête tout à coup.)*

BETTY BIRD — Hon ! j'y pense . . . Lola, j'ai oublié un détail . . . C'est ben beau de vouloir te rendre service, mais . . . combien tu me donnes ?

LOLA LEE — Comment ça, combien j'te donne ?

BETTY BIRD — On n'a rien pour rien en ce bas-monde, tu le sais comme moi, Rita-Marigold-Lola ! J'veux ben faire peur à ta sœur, mais voudrais aussi que çà me rapporte quequ'chose, moi aussi !

LOUISE — Me faire peur . . .

LOLA LEE — Ah ! ma sacremente . . .

BETTY BIRD, *en regardant Lola* — Louise, ta grande sœur la star veux que j't'offre de travailler icitte en attendant que tu trouves quequ'chose de mieux ailleurs . . . C'est cute, comme idée, hein ?

LOUISE — Quoi !

BETTY BIRD — Est ben sûre que çà va te faire peur pis que tu vas retourner chez vous comme une bonne fille . . .

VIOLET — Hon ! c'est le fun . . . Tu vas travailler avec nus-autres, Louise ?

LOUISE — Non . . . Aie pas peur pour moé . . . J'finirai peut-être icitte un jour, mais j'vas commencer ailleurs ! Ailleurs ! Plus haut !

TOPAZE — On n'est pas assez hautes pour elle !

PURPLE — Une chance . . .

LOUISE, *à Lola* — Si tu voulais m'écœurer avec toutes tes histoires, t'as réussi ! Mais c'est pas c'que tu m'as montré qui m'écœure, c'est toé !

*(Noir.)*

*(Spots sur Lola et Betty.)*

LOLA, *à Betty* — Maudit visage à deux faces ! Toé aussi tu veux que je fouerre, hein ! Toé aussi t'es jalouse parce que j'ai un club qui marche ! Ben Lola Lee a pas dit son darnier mot, okay ! Ta boîte à guédayes, j'peux t'la faire fermer pis vite à part de çà, tu le sais, çà, hein, Béatrice, tu le sais ! Ben fais ben attention ! Avant, c'tait toé qui avais les connections, mais astheur c'est bibi !

BETTY BIRD — Y'a donc rien pour t'arrêter ! Ben oui j'le sais que tu peux la faire fermer, ma maison, pis çà me surprendrait pas une miette que tu le fasses ! Pas une miette ! T'as quasiment réussi quand t'es partie d'icitte . . . quand t'es disparue dans' brume du jour au lendemain ! Penses-tu que le coup de cochon que j'te fais là, j'te le fais comme çà, pour rien, pour le plaisir de la chose ! J'ai une dette à te faire payer, Lola Lee, pis le jour est enfin arrivé, pis chus mauditement contente ! Si ta sœur peut donc réussir, si a peut donc t'écraser comme une punaise, que j'vas donc être heureuse ! Louise, si t'as deux onces de talent, vas-y écrase-la, tu vas me sauver la vie !

LOLA LEE — Que c'est que j't'ai tant faite, hein ? Tu m'en veux parce que j'me sus sortie d'icitte ? Tu m'en veux parce que chus d'venue quelqu'un au lieu de moisir icitte dans le fond de ton trou, comme Purple ?

BETTY BIRD — T'as la mémoire courte, Lola ! Tu le sais très bien que j't'en veux pas d'être sortie d'icitte. Toutes les filles qui veulent vraiment sortir d'icitte finissent par partir, un jour ! Mais y partent pas toutes avec une partie de la caisse pis mon chum, par exemple ! Comment y va, Johnny, hein, Lola, comment y va ? Çà fait combien de temps que t'as pas eu de ses nouvelles ? Toé aussi, y t'as laissée pour une plus jeune, une plus fraîche ? Y' est resté combien de temps avec toé, Lola ? Un an, deux ans ? Même pas ? Ben quand tu l'as enfirwapé en y contant tu-sortes d'écœuranteries sus mon compte, çà faisait huit ans qu'on était ensemble, Lola ! Pis j'me sus jurée de te faire payer çà, un jour ! Pis là le jour est peut-être arrivé ousque j'vas te voir prendre ta débarque en bas de ton trône !

LOLA LEE — Johnny, y m'aimait, Betty !

BETTY BIRD — Moé aussi, y « m'aimait ». Pis « y' aimait » Purple, un temps, aussi . . . Tant qu'y restait avec moé ; çà me faisait rien qu'y'en « aime » d'autres . . . Mais toé . . . Le sais-tu c'que çà m'a faite quand vous êtes partis tous les deux ? En plus de perdre mon gars, j'pardais la plus belle fille que j'avais jamais eue ! Quand vous êtes partis tous les deux avec mon argent pis mes bijoux, j'ai commencé à débouler l'escalier, Lola. Marche après marche, pis de plus en plus vite ! As-tu regardé ma robe, Lola ? L'as-tu regardée de proche ? C'est la seule qui me reste, Lola, pis a commence à avoir des trous ! Y me reste rien qu'une robe pis un paquet de filles bouchées, Lola ! Pis c'est de ta faute. Regarde autour de toé . . . C'est la même tapisserie que quand t'es partie. R'garde les filles . . . C'est les mêmes maudits vieux costumes que j'ai rafistolés tant que j'ai pu . . . Pis r'garde Purple. R'garde Purple ! C'est elle qui donne tes shows à ta place ! C'est pas riche, hein ? Ma boîte, à poigne pus, Lola ! J'ai pas le cinquième des clients que j'avais ! Chus dans la rue, Marigold, es-tu contente ?

LOLA LEE — Johnny, y m'aimait !

*(Projecteur sur Louise.)*

*Chanson :* « *Johnny-de-la-table-du-fond* »

Moé aussi mon chum s'appelle Johnny
Mais le mien, y est fin
Y'est fin, le mien
Pis si j'y d'mande de v'nir me r'trouver
Chus pas mal sûre qu'y va arriver en courant
Chus sûre qui va arriver en courant.

Louise – independent of her Johnny – warning – success is short-lived

Non, hein ? Y'est ben que trop indépendant
Pour devenir le chum de Lyla Jasmin.

Pis si tu voulais . . .
Mais j'sais qu'y faut rien te d'mander
Johnny-du-Bar-B-Que
J'te d'mande rien
Johnny-de-Saint-Martin
Quand tu vas v'nir à Montréal, astheur,
Peut-être que ça va être pour me voir, moé.

Johnny-de-Saint-Martin
Johnny-du-Bar-B-Que
Johnny-de-la-table-du-fond
J't'aime.

Quand tu vas disparaître du Bar-B-Que, astheur
Johnny, ça va être pour moé
Laisse-moi croire ça Johnny
Laisse-moi croire encore un peu

PURPLE — Si t'as un Johnny qui t'attends chez vous, Louise, t'es t'aussi ben d'aller le rejoindre.

LOUISE — Non. Si y veut pas v'nir me r'joindre, qu'y vienne pas ! Qu'y reste à Saint-Martin, lui. Moé, j'reste icitte ! J'réussirai ben sans lui ! Oui, j'réussirai ben sans lui . . . aussi.

PURPLE — Tu-seule . . .

LOUISE, *vers Lola* — Oui, tu-seule . . .

LOLA, *à Betty* — Tu vas me le payer . . .

BETTY — J'en doute pas. J'pense que j't'aussi ben de m'acheter du fil pis des aiguilles . . . c'est pas demain que j'vas m'acheter une robe neuve ! *(A Louise.)* Quand tu s'ras rendue en haut, Louise, prends une bonne respiration, pis r'garde ben autour de toé, parce que çà durera pas longtemps. C't'un ben beau vertige, mais y'est court en ciboire ! Moé aussi, j'ai déjà été au top de ma carrière ; aie, moé aussi j'ai déjà été au top de ma carrière . . . comme Lola, Mais r'garde de quoi t'as l'air quand t'es t'au top . . . R'garde-là, ta sœur, si à l'a peur . . . J'avais pas r'marqué ça, Louise, mais quand t'es t'au top de ta carrière, t'es laide parce que t'as peur ! tu veux rester tu-seule à tout prix, mais la côte que t'as montée à pieds, t'as redescends en bicycle.

*Chanson : « Betty Bird's Lied »*

C'était dans ma jeunesse
Du temps que j'étais slim
Y s'en est commis des crimes
Du temps que j'étais perverse !

Quand j'paraissais le soir
Dans ma robe de velours
Tous les hommes, même les sourds
Se r'tournaient pour me voir !

J'étais la grande Betty
J'étais Betty-d'un-jour
Même Dorothy Lamour
Baissait pavillon d'vant moé !

On m'achetait pour de l'or
On se battait pour moé
On se tuait pour moé
J'étais Betty-la-mort !

J'étais la grande Betty
J'étais Betty-d'un-jour
Même Dorothy Lamour
Baissait pavillon d'vant moé !

Je marchais sur les corps
En croquant des diamants
En croquant mes amants
J'criais : « J'en veux encore ! »

C'était dans ma jeunesse
Du temps que j'étais slim
Y s'en est commis des crimes
Parce que j'étais perverse !

Mais un beau jour, pourtant
Au milieu d'une caresse
Est apparue la vieillesse
Dans sa peau de sarpent

J'ai même pas eu besoin
De pousser une porte
Est arrivée avec son escorte
Pis à m'a dit : « Demain ! »

J'ai essayé d'oublier
J'ai essayé d'oublier
Pis après j'me sus dit :
« On peut pas tuer Betty ! »

J'étais la grande Betty
J'étais Betty-d'un-jour
Même Dorothy Lamour
Baissait pavillon d'vant moé !

Betty Bird est pas morte
Betty Bird se débat
A sait qu'est rendue ben bas
Mais qu'y faut qu'à s'en sorte !

*(Parlé.)* — « C'est deux birds, bebé, pis si t'es pas content : dehors ! »

DL - outshines B Bird -

C'était dans ma jeunesse
Du temps que j'étais slim
Y'en ont commis des crimes
Parce que j'étais perverse !

*(La duchesse paraît dans toute sa « splendeur ». Elle s'avance lentement jusqu'à Betty. Elles se regardent toutes deux dans les yeux, longuement.)*
*(La duchesse enlève son manteau. Elle est habillée exactement comme Betty, mais en plus « chic », (en plus neuf en tout cas).)*

*(Après un long moment, Betty baisse un peu la tête, s'appuie sur ses filles et sort en murmurant : )*

BETTY — Rentrez dans vos chambres, les filles ; la récréation est finie . . .

*(Marcel et Candy Baby disparaissent par une autre porte.)*

LOLA, *à Louise* — Pensais-tu que toute m'était tombé toute rôti de même dans'bouche ? J'ai travaillé pendant douze ans, ma p'tite fille, pour arriver ousque chus là, pis toujours à faire des affaires propres-propres . . . Pis chus t'arrivée par mes propres moyens, pis y'a personne qui m'a lancée, moé, j'me sus lancé tu-seule ! En trimant pis en n'arrachant ! Es-tu prête à sacrifier douze ans de ta vie pour arriver à tes fins, toé, Louise Tétrault ? Hein ? Non ! Y te faut toute tu-suite, toé ! La gloire du jour au lendemain ! Après le trophée Lucille Dumont, à Saint-Martin, la découverte de l'année à Montréal, j'suppose ? Pis en m'imitant, à part de ça, Louise, *en m'imitant*. T'es même pas capable de te trouver un style à toé ! Pis j'ai des p'tites nouvelles pour toé, chère p'tite sœur ; ton trophée, à Montréal, y vaut rien ! Rien ! Tu peux te le mettre où je pense ! C'est pas ton trophée qui peut te faire arriver vite, à Montréal, Louise ! Si tu veux arriver vite, y'a rien qu'un moyen : déshabille-toé, pis sacre-toé devant une caméra, là tu vas « percer » ! Pour un temps... Ça, fais-lé si tu veux, mais viens pas m'imiter, par exemple ! Essaye de te faire une place si tu veux, une place à toé, mais prends pas la mienne ! Ote ta perruque qui ressemble à la mienne, pis r'vient à tes cheveux noirs ! J'ai eu assez de misère, à monter, Louise, j'ai eu assez de misère à monter, que tu viendras pas me pousser en bas d'la côte !

*Chanson : La complainte de Lola Lee*

Quand tu descends de l'autobus
Pis qu't'as pas une cenne dans tes poches
Tu t'assis sur un banc du terminus
Pis tu sors ton rouge à lèvres de ta sacoche !

Tu fermes les yeux, pis tu y vas !
Tu te beurres la bouche comme que tu peux
Plus que tu t'en mets, plus qu'y'aiment ça
Plus que tu les beurres, plus qu'y'sont heureux !

Tu t'trouves une p'tite job comme waitress
Comme cigarette-girl ou comme danseuse
De tango de cha-cha-cha ou même topless
Déjà, tu peux te compter chanceuse !

Tu fermes les yeux, pis tu y vas !
Tu danses, tu te déshabilles, tu te vends
Pis t'essayes de te trouver un gars
qui va s'apercevoir que t'as du talent !

Si t'en trouves un, tu sautes dessus
Accroche-toé, laisse-le pas partir
Pis si y te demande un reçu
Marie-le, même si y'a rien de pire !

Price of success - must elim- competit
will be left alone.

Tu fermes les yeux pis tu y vas
Tu cours après tous les p'tits agents
Tu cours après tous les p'tits contrats
Pis tu commences à faire un peu d'argent !

Si y'en a une à côté de toé
Qui minaude, qui fait la smatte
Sacre-s'y une série de coups de pieds
Sans ça, tu vas te r'trouver à flat !

Tu fermes les yeux pis tu y vas !
Y faut que tu grimpes, y faut que t'avances
Si t'es fatiguée, repose-toé pas
Parce que là, t'as pus une maudite chance !

Quand ton nom commence à être connu
Elimine toutes tes adversaires
Y faut que tu soyes tu-seule sus ta rue
A être vedette sans en avoir l'air !

Tu fermes les yeux pis tu y vas !
Tu deviens enfin une grande vedette
Tu fais semblant que tu t'en rappelles pas
Pis t'oublies toutes les vacheries qu't'as faites !

Y faut toujours que tu regardes en avant
Y faut jamais que tu regardes en arrière
Pis si y'en reste une, tu la descends
Parce que t'es pas au bout de ta carrière !

Tu fermes les yeux pis tu y vas
T'arrives enfin au bout du chemin
T'es tu-seule, t'es essoufflée, mais t'es là
Y'a pus personne en avant de toé pis t'es ben !

Là, y faut que tu penses au lendemain
Y faut que tu guettes tes arrières

Pis si t'en vois une descendre d'un train
Tu l'écrases pis tu la renvoyes chez sa mère !
Tu l'écrases pis tu la renvoyes chez sa mère !
Tu l'écrases pis tu la renvoyes chez sa mère !

*(Après la chanson, Lola arrache la perruque de Louise, et la jette par terre.)*

*(Lola Lee se met à crier dans le micro :)*

LOLA LEE —
Et maintenant, mesdames et messieurs,
Le Bolivar Lounge est heureux de vous
présenter l'émoustillante revue « Lola Lee Lolo »,
mettant en vedette : Lola Lee !

LOUISE —
Non ! Lyla Jasmin !

TOUT LE MONDE —
Le soleil est à l'envers
La lune est à l'envers
Le ciel est à l'envers
Le monde est à l'envers
Mais . . .
Ma tête est à l'envers
Mes sens sont à l'envers
Ma vie est à l'envers
Mon cœur est à l'envers
mais . . .

Le Brésil brille !
Brasilia braille !
Le Brésil braille !
Brasilia brille !

Les fleurs sont à l'envers
Les arbres sont à l'envers

a world – upside down, inside out

Les lacs sont à l'envers
Le monde est à l'envers

mais . . .
Vos têtes sont à l'envers
Vos sens sont à l'envers
Vos vies sont à l'envers
Vos cœurs sont à l'envers
mais . . .

Le Brésil brille
Brasilia braille
Le Brésil braille
Brasilia brille
L'Amérique brûle
L'Amérique est à l'envers
L'Amérique braille
L'Amérique est à l'envers
Au Brésil ! A Brasilia !
A Brasilia ! Au Brésil !

*(Serpentins, flûtes, confetti, etc.)*

*(Pendant la chanson Louise est sortie de scène et est revenu habillée en « Brésilienne ». Une lutte « dansée » s'engage entre ces deux sœurs . . .)*

C'est tout !

*Achevé d'imprimer sur les presses
de l'imprimerie « Les Ed. Marquis Ltée »
le quinze mars mil neuf cent soixante-douze
pour les « Editions Leméac ».*